D0248147

Über dieses Buch Bis auf den ersten Text sind alle Schriften der vorliegenden Sammlung *nach* den *Drei Abhandlungen zur Sexualtheorie* (1905) entstanden. Mit dem Erscheinen des bahnbrechenden Hauptwerks war die Psychoanalyse seinerzeit schlagartig in den Verruf des Pansexualismus geraten. In diesem Buch hatte Freud den Begriff der Sexualität in revolutionärer Weise erweitert: er beschrieb sie als etwas Zusammengesetztes, einer komplizierten Entwicklung Unterworfenes; die Sexualtriebe äußerten sich schon im frühesten Kindesalter, seien gleichermaßen pathologischer Entgleisung wie hochgradiger Sublimierung fähig.
Die Aufsätze des vorliegenden Bandes dokumentieren Freuds lebenslange Auseinandersetzung mit den einst in den *Drei Abhandlungen* dargelegten Auffassungen über Liebe und Sexualität. Anhand neuen klinischen Materials hat er sie immer wieder in fundamentaler Weise in Frage gestellt, unermüdlich revidiert und korrigiert. Um nur drei dieser Neuerungsbereiche zu erwähnen: erst allmählich konnte er die auf den ersten Blick abenteuerlich anmutenden Sexualtheorien der Kinder entdecken – beispielsweise die altersspezifische Überzeugung, daß die Befruchtung durch den Mund, die Geburt durch den Anus stattfindet; zeitgemäße eigene Voreingenommenheit hinderte ihn lange daran, die Besonderheiten der weiblichen Sexualentwicklung ins Auge zu fassen und seine Vorstellung von der Frau als penislosem Mängelwesen zu relativieren; mehr und mehr sah er sich veranlaßt, biologische und kulturtheoretische Überlegungen einzubeziehen, um die Tatsache des verbreiteten Unglücks in den menschlichen Sexual- und Liebesbeziehungen verstehbar zu machen. Hatten dieses Unbefriedigtsein und dieser »Reizhunger« etwas mit dem Umstand zu tun, daß der Sexualtrieb sich in der ersten kindlichen Hochblüte an Eltern und Geschwister heftet, daß also die nicht-inzestuösen Liebesobjekte des Erwachsenen, so gesehen, immer bloß Surrogate der infantilen Vorbilder sind und als solche unweigerlich enttäuschend? Was Freud in den verschiedenen Aufsätzen dieses Bandes jeweils ganz neu formulierte – einige sind Meilensteine der psychoanalytischen Literatur –, trug er in einem permanenten Werkdialog in die nachfolgenden Auflagen der *Drei Abhandlungen* ein.
Reimut Reiche, der im Rahmen der neuen Freud-Präsentation schon die *Drei Abhandlungen* kommentierte, beschreibt in seiner Einleitung die Charakteristika des psychoanalytischen Diskurses über Liebe und Sexualität, grenzt ihn ab gegen den philosophischen und soziologischen und skizziert die Zugewinne der nachfreudschen Psychoanalyse, zumal beim Studium der Weiblichkeit.

Der Autor Sigmund Freud, geboren 1856 in Freiberg (Mähren); Studium an der Wiener medizinischen Fakultät; 1885/86 Studienaufenthalt in Paris, unter dem Einfluß von J.-M. Charcot Hinwendung zur Psychopathologie; danach in der Privatpraxis Beschäftigung mit Hysterie und anderen Neurosenformen; Begründung und Fortentwicklung der Psychoanalyse als eigener Behandlungs- und Forschungsmethode sowie als allgemeiner, auch die Phänomene des normalen Seelenlebens umfassender Psychologie; 1938 Emigration nach London; 1939 Tod.

Der Verfasser der Einleitung Priv.-Doz. Dr. Reimut Reiche, Psychoanalytiker und Soziologe in Frankfurt am Main, Veröffentlichungen insbesondere zu sexualwissenschaftlichen Themen, darunter *Sexualität und Klassenkampf* (Fischer Taschenbuch Verlag, 1972); *Der gewöhnliche Homosexuelle* (S. Fischer Verlag, 1974); *Geschlechterspannung* (Fischer Taschenbuch Verlag, 1990).

SIGMUND FREUD

Schriften über Liebe und Sexualität

Einleitung
von Reimut Reiche

FISCHER TASCHENBUCH VERLAG

Veröffentlicht im Fischer Taschenbuch Verlag GmbH,
Frankfurt am Main, Januar 1994

Umschlagentwurf: Buchholz / Hinsch / Hensinger
(Die Abbildung gibt die Rückseite einer Medaille wieder,
die Ödipus vor der Sphinx zeigt und die Karl Maria Schwerdtner
zu Freuds 50. Geburtstag 1906 anfertigte. Die Vorderseite
dieser Medaille ist auf dem Umschlag der
Drei Abhandlungen zur Sexualtheorie, Bd. 10440, abgebildet.)
Gesamtherstellung: Clausen & Bosse, Leck
Printed in Germany
ISBN 3-596-10441-6

INHALT

Anhang

EINLEITUNG

Von Reimut Reiche

Für die Liebe gilt, was der heilige Augustinus über die Zeit gesagt hat: wir wissen, was Liebe ist, wenn uns niemand fragt, was sie ist. Psychoanalytisch ist die Liebe nur von ihren Zersetzungszuständen aus begreifbar. Sie gehört zu der Reihe zentraler Begriffe, ohne die die Psychoanalyse nicht auskommt und die doch keine psychoanalytischen Begriffe sind – ähnlich dem Begriff der Arbeit oder des Wissens. Obwohl dies so ist, ist die Psychoanalyse, ob sie will oder nicht, diejenige Institution, die von ihrem Anfang an wissenschaftlich und kulturell als für die Liebe zuständig erklärt wurde. Die kulturelle und wissenschaftliche Zeitwende, die den Ursprungsort der Psychoanalyse bildet, hatte die Liebe zugleich in ein Niemandsland der Sprache verbannt. Die Philosophie wollte mit ihr nichts mehr zu tun haben; die junge Soziologie, die gerade erst ihr eigenes Terrain abzustecken begann, wollte mit ihr noch nichts zu tun haben; und die Naturwissenschaften setzten am Ausgang des 19. Jahrhunderts auf so enge Erkenntnismittel des Beobachtens, des Messens und der Kausalreaktion, daß die Liebe in ihnen schlechterdings keinen Platz einnehmen konnte.

Dabei ist der philosophische Diskurs über die Liebe so alt wie die Philosophie selbst. Die Selbstkonstituierung der Philosophie als Methode des wahrheitserkennenden Fragens und Gegenfragens findet mit der Frage nach dem Wesen des Eros in Platons *Symposion* (etwa 370 v. Chr.) einen paradigmatischen Höhepunkt, an dem sich die Jahrhunderte des Denkens und der Glaubenskämpfe später orientierten. Platon hatte den »Eros« als treibende Kraft des Strebens nach dem Schönen und Wahren benannt und sachlich eine anthropologische Lehre der Selbstsublimierung der Sexualität begründet. Und obwohl Freud auf eine hier noch zu erörternde Art und Weise viel enger an Platon anschließt, als den meisten von uns bewußt ist und als er selbst zu erkennen gibt, bricht er doch radikal mit der platonischen Fragestellung. Denn Platon gab der sexuellen Begierde, von deren Schubkraft er wohl ausging, die Aufgabe auf, sich

in immer »höhere« Bildungen aufzulösen, zur Ruhe kommend in der konvergierenden Erkenntnis von Wahrheit und Schönheit.
Betrachten wir dagegen Freuds Auflösungen des Liebesbegriffs, wie sie uns auf den ersten Seiten der klassischen ›Beiträge zur Psychologie des Liebeslebens‹ sprachlich gegenübertreten – Freud spricht hier nacheinander von »Objektliebe«, »Typen der Objektwahl«, »Liebesbedingungen« usw. –, so werden wir sogleich feststellen, daß sein Interesse die traditionellen Diskurse und Systematiken der Liebe zersetzt. Diese hatten durch die Jahrhunderte der glücklichen und der unglücklichen Liebe gegolten, der irdischen und der himmlischen Liebe, dem Liebespaar und dem einsam Liebenden, der Liebe als Trug und der Liebe als Erfüllung, der ewigen und der vergänglichen, der wahren und der falschen Liebe, der Liebe als Überschreitung und als Gefängnis, der Liebe zu Gott und der Liebe Gottes – und waren stets darauf konzentriert, das »Wesen« der Liebe zu erfassen. Alle diese Diskurse und Systematiken stehen in der Folge der systematischen Frage Sokrates' in Platons *Symposion*: Was und wer ist Eros?
Wohl wissend, daß die Liebe alles andere als ein Symptom ist, zeigt Freud sich von Anfang an entschlossen, sie wie ein Symptom zu befragen – ebenso wie er in seinen kulturtheoretischen Schriften Religion, Massenbildung, Autoritätsbindung oder Kultur überhaupt so befragt, als seien diese menschlichen Bildungen Symptome. An Liebe und Sexualität interessiert ihn in erster Instanz »die Entwicklungsgeschichte und das unbewußte Verhältnis«[1] oder »die Herkunft und Entwicklung solcher seelicher Zustände«[2]. Die seelischen Zustände der Verliebtheit und der Liebe werden alsbald jeglichen ontologischen Seinscharakters entkleidet, insofern sie psychoanalytisch nur durch solche zugleich klinischen und alltäglichen Erscheinungsformen wie Treue und Untreue, Gefühlskälte und sexuelle Erregung faßbar werden. Dabei prägt Freud gleichsam auf jeder Seite Formulierungen, die wir inzwischen unserer Sprache und unserem Denken so sehr einverleibt haben, daß sie uns ganz geläufig klingen – etwa die »Sexualüberschätzung« in der Verliebt-

---

1 Unten, S. 98.
2 Unten, S. 93.

heit[3] oder die »psychische Impotenz« beim Mann[4]. In der Epoche ihrer Schöpfung setzte jede dieser Formulierungen eine Sprengkraft frei, die wir heute kaum mehr ermessen können, lauter Sprengkörper, angebracht an dem jahrhundertealten Panzer der abendländischen Liebesideologie.

Dennoch war die Psychoanalyse ursprünglich zur Liebe gekommen wie die sprichwörtliche Jungfrau zum Kind. Teils fiel sie ihr zu, weil niemand sonst sie mehr haben wollte. Teils stellte sich die Liebe der Psychoanalyse regelrecht in den Weg, nämlich als Übertragungsliebe[5], die Freud im Prozeß der Erfindung der psychoanalytischen Heilmethode zunächst als ungewolltes und störendes Kind mitentdeckte, das wir erst viel später zu schätzen gelernt haben. Die Entwicklung der Psychoanalyse als Behandlungsmethode ist wesentlich bestimmt durch Freuds Entdeckung der Übertragung. Darunter verstehen wir folgendes, mittlerweile als universell anerkanntes Geschehen: Wer sich einer psychotherapeutischen, also nur mit den Mitteln der Sprache operierenden und ansonsten körpertherapeutisch und medikamentös abstinenten Behandlung unterzieht, stellt seine bislang ungelösten Konfliktneigungen und Symptome in der kommunikativen Beziehung am Psychotherapeuten dar, er wiederbelebt, wiederinszeniert, kurz, überträgt dieselben auf den Psychotherapeuten. Psychoanalyse unterscheidet sich von anderen psychotherapeutischen Methoden und Schulen in erster Linie durch die Art, wie sie das Übertragungsgeschehen handhabt. Freud und seine ersten Mitstreiter waren zugleich fasziniert und erschreckt von der Heftigkeit der Übertragungsstürme, denen sie ausgesetzt waren, als sie die manipulativen Techniken der Hypnose und hypnoseverwandter Methoden aufgaben und die abwartende, »abstinente«, auf Suggestion und Ratschlag verzichtende Technik anwandten, aus der sich dann die Psychoanalyse entwickelte.

Als Geburtsstunde der Psychoanalyse könnte man, bei einer Nei-

---

3 Unten, S. 105.

4 Unten, S. 108.

5 Vgl. die Einleitung von Hermann Argelander zu: S. Freud, *Zur Dynamik der Übertragung*, Fischer Taschenbuch Verlag, Frankfurt am Main 1992.

gung zur Bildung von Ursprungsmythen, gut das Jahr 1882 einsetzen, und zwar den Tag, an dem Freuds damaliger älterer Freund und Lehrer, Josef Breuer, die »kathartische« Behandlung seiner Patientin Anna O. abbrach, als diese, eine hysterische Schwangerschaft agierend, Breuer bezichtigte: »Jetzt kommt das Kind, das ich von Dr. B. habe.«[6] »In diesem Moment hatte er den Schlüssel in der Hand, [...] aber er ließ ihn fallen. [...] In konventionellem Entsetzen ergriff er die Flucht und überließ die Kranke einem Kollegen«, vermerkte Freud noch fünfzig Jahre später in einem Brief an Stefan Zweig[7]. Freuds und Breuers Wege trennten sich am Schlüsselpunkt der Übertragungsliebe, die zu erkennen und der standzuhalten, schließlich sie zum Wohle der Patientin zu deuten Breuer damals nicht vermochte. Aus Didier Anzieus Rekonstruktion der Selbstanalyse Freuds entnehmen wir, Breuers Gattin sei »eifersüchtig auf diese junge Hysterikerin geworden, zu der sich ihr Mann seit vielen Monaten zweimal täglich begab«[8]; eine höchst verständliche Reaktion, können wir heute nur zugestehen, wenn wir bedenken, auf welch gefährlichen Boden sich diese Pioniere der Psychoanalyse begeben hatten. Waren sie doch umgeben von den Fallstricken einer viktorianischen Kultur, deren Doppelmoral es wohl verziehen hätte, daß ein älterer Arzt einer jungen Patientin ein Kind macht und sie dann konventionellerweise sitzenläßt, die es aber niemals tolerierte, daß ein Arzt das hysterische Phänomen als Übertragungsliebe deutet, nämlich als eine unbewußt gewordene inzestuöse Liebe, die ursprünglich dem Vater galt und die in der psychoanalytischen Behandlung auf den Arzt übertragen wird. Freud nahm den Schlüssel auf und bezahlte dafür den Preis einer fast lebenslangen wissenschaftlichen Ächtung und sozialen Isolierung.

---

6 Vgl. die ausführliche Darstellung des Hergangs bei Heinrich Deserno, *Die Analyse und das Arbeitsbündnis. Eine Kritik des Arbeitsbündniskonzepts*, Verlag Internationale Psychoanalyse, München – Wien 1990, S. 27f.

7 S. Freud, *Briefe 1873–1939*. Ausgew. und hrsg. von Ernst und Lucie Freud. 3., korr. Aufl. S. Fischer Verlag, Frankfurt am Main 1980, S. 428 (Brief vom 2. Juni 1932).

8 D. Anzieu, *Freuds Selbstanalyse und die Entdeckung der Psychoanalyse*, Bd. 1, Verlag Internationale Psychoanalyse, München – Wien 1990, S. 31.

Von da an mußte er sich der sehr beunruhigenden Doppelrolle der Liebe in seinem entstehenden Wissenschaftsgebäude stellen: diese Wissenschaft würde nicht nur *inhaltlich* etwas über die Liebe aussagen, insofern sie etwas über die unbewußten Wurzeln des Liebeslebens, über besondere Typen der Objektwahl usw. in Erfahrung brächte, sondern sie würde auch *methodisch* mit der Liebe, eben in Gestalt der Übertragungsliebe des Patienten, ein Bündnis eingehen müssen. In diesem Sinne schreibt Freud am 6. Dezember 1906 in einem Brief an den ihm persönlich noch gar nicht bekannten, viel jüngeren C. G. Jung, der die Psychoanalyse kennenlernen will: »Es ist eigentlich eine Heilung durch Liebe. In der Übertragung liegt dann auch der stärkste, der einzig unangreifbare Beweis für die Abhängigkeit der Neurosen vom Liebesleben.«[9]

Die hier versammelten Arbeiten stammen, mit Ausnahme der ersten – ›Über Deckerinnerungen‹ (1899) –, sämtlich aus den Jahren *nach* 1905, aus der Zeit also nach dem Erscheinen der *Drei Abhandlungen zur Sexualtheorie*. Freud hatte dort für Liebe mit dem ihm eigenen trockenen Charme das Wort »Objektfindung« eingesetzt und lakonisch festgestellt: »Die Objektfindung ist eigentlich eine Wiederfindung.«[10] Die Brechungen, Umformungen, Hindernisse, kurz, die Triebschicksale dieser Wiederfindung verfolgt Freud in allen hier vorgelegten Schriften. In den meisten dieser Arbeiten können wir direkt beobachten, wie er dem heterogenen, noch ungeordneten und oft unklaren klinischen Material der Neurosenbehandlung Gemeinsamkeiten, Tpyen und Organisationsformen – der Sexualität, des Liebens, des Charakters usw. – abzugewinnen versucht.
Bei der Lektüre tun wir gut daran, uns in seine Lage zu versetzen: Zwar hat er spätestens seit dem Jahr 1901 die innere und – für ihn selbst – auch die objektive Gewißheit, daß seine Behandlungsmethode nicht nur eine Methode unter anderen, sondern das Zentrum einer ganzen, neu zu schaffenden Wissenschaft ist. Aber er kann

---

9 S. Freud/C. G. Jung, *Briefwechsel*, hrsg. von William McGuire und Wolfgang Sauerländer, S. Fischer Verlag, Frankfurt am Main 1974, S. 13.

10 S. Freud, *Drei Abhandlungen zur Sexualtheorie*, in: ders., *Gesammelte Werke*, Bd. 5, Imago Publishing Company, London 1942, S. 123.

nirgends deduktiv, von einem irgendwie fertigen Denk- und Zuordnungssystem ausgehen. Zwar bleiben die Naturwissenschaften sein Vorbild und ihre Methode, von den einzelnen Beobachtungsdaten zu allgemeinen Gesetzen vorzudringen, seine Richtschnur. Aber zugleich kann er deren Forderung, die Beobachtungstatsachen im jedermann nachvollziehbaren Experiment öffentlich zu machen, aus inneren Gründen seines Forschungsgegenstandes kaum erfüllen; die Dynamik des Unbewußten läßt sich nicht experimentell beweisen, sondern nur hermeneutisch evident machen.

In den einzelnen Arbeiten können wir Freuds Weg verfolgen, wie er tastend einen *Kernkomplex* der Neurose, eine *Organisation* der infantilen Sexualität oder *Typen* des Liebens und der Libidoverwendung (Charaktertypen) aus dem klinischen Rohmaterial der Neurosenbehandlung herauspräpariert. Es muß uns dabei klar sein, daß die Gesetzmäßigkeiten und Typologien, die aufzuzeigen er anstrebt, weniger den Status naturwissenschaftlicher Verallgemeinerungen haben, sondern eher den Status von Vorformen auf dem Weg zu »reinen Typen« im Sinne der Soziologie Max Webers[11] repräsentieren.

Wenden wir uns nun einigen Themen und Konzepten zu, die im Zentrum von Freuds Interesse an einer psychoanalytischen Typologie der Liebe und des Liebens liegen. Ich will diese Themen und Konzepte vor dem Hintergrund des inzwischen erreichten psychoanalytischen Wissens vorstellen und einige Verbindungslinien zum philosophischen und soziologischen Diskurs der Liebe ziehen.

Liebe und Verliebtheit.

Ihrem Forschungsgegenstand gemäß interessiert sich die Psychoanalyse weniger für eine Typologie der Erscheinungsformen von Liebe in der Geschichte oder für eine Ontologie der *erfüllten* Liebe als für die innerpsychische Dynamik ihrer *Unerfüllbarkeit* im Indi-

---

11 Max Weber hat, etwa zur selben Zeit wie Freud (1911–1913), »reine Typen der Herrschaft« aus dem ihm zugänglichen Beobachtungsmaterial abgeleitet. Vgl. M. Weber, *Wirtschaft und Gesellschaft. Grundriß der verstehenden Soziologie*, Kiepenheuer & Witsch, Köln und Berlin 1964, S. 159.

viduum. Gerade darum ist es lehrreich, mit einer der wenigen Äußerungen Freuds über »reale glückliche Liebe« zu beginnen. Ihr zufolge »entspricht [...] eine reale glückliche Liebe dem Urzustand, in welchem Objekt- und Ichlibido voneinander nicht zu unterscheiden sind«[12]. Betrachten wir diesen Satz etwas näher. In ihm wird die Liebe des Erwachsenen psychogenetisch auf einen kindlichen »Urzustand« bezogen. Von diesem wird gesagt, daß etwas noch nicht geschieden oder getrennt sei, das später geschieden, getrennt oder unterschieden werden müsse. Dieses noch Ungeschiedene wird als »Objekt- und Ichlibido« benannt und steht, vereinfacht ausgedrückt, für die triebhaften Besetzungen der frühesten Erfahrungen und Vorstellungen (oder Vorläufer von Vorstellungen), die sich das sich bildende »Ich« macht und die das in diesem »Ich« gleichzeitig entstehende Bild vom »Objekt« (der »Mutter« als erstem Repräsentanten und Vermittler der »Welt«) prägen. Damit Liebe entstehen kann, muß *etwas* von diesem *Urzustand* im *Objekt* wiedergefunden werden.

Ob das wiederzufindende *Objekt* die Erscheinungsform eines anderen Menschen, einer geistigen oder künstlerischen Betätigung, einer religiösen Vorstellung, der unbelebten oder belebten Natur oder irgendeine andere Erscheinungsform annimmt, ist zunächst sekundär. Vielmehr obliegt es der im einzelnen durchzuführenden Bedeutungsbestimmung des Objektes für das Subjekt, also der Analyse der »Objektverwendung«, festzustellen, ob und inwieweit es sich bei dieser Liebe um »genitale Liebe«, um eine Perversion, um Sublimierung, um Kunstausübung, um Suchtverhalten, um eine Wahnbildung usw. handelt beziehungsweise wie sehr die betreffende Liebe aus solchen und vielen anderen, hier nicht aufgeführten Elementen zusammengesetzt ist. In der fetischistischen Perversion wird, um ein einfaches Beispiel solcher Liebe zu geben, ein unbelebter Gegenstand oder ein Körperteil, also ein »Partialobjekt«, sexualisiert und damit so »belebt« wie sonst ein »ganzes Objekt« (ein Mensch) und ihm dann alle verfügbare Liebe gegeben. Offensichtlich kann man einen Schuh, oder eine Landschaft oder ein Kunst-

---

12 S. Freud, ›Zur Einführung des Narzißmus‹, in: ders., *Gesammelte Werke*, Bd. 10, Imago Publishing Co., London 1946, S. 167.

werk, aber nicht »so« lieben wie einen anderen Menschen. Ein Schuh kann uns nur in einem ebenso übertragenen Sinn »ansprechen«, wie wir auf ein Kunstwerk im übertragenen Sinn »antworten«. Daraus ergibt sich, daß wir, je nach Objektverwendung, unterschiedliche Formen und Grade von Liebe unterscheiden müssen.

Für jede solche psychoanalytische Typologie der Objektverwendung bildet Freuds Kriterium des Genitalprimats, das er in der Arbeit ›Die infantile Genitalorganisation‹[13] erläutert, das Paradigma. Freud bestimmt dieses Kriterium als die »Zusammenfassung der Partialtriebe und deren Unterordnung unter das Primat der Genitalien [...] im Dienste der Fortpflanzung«[14]. Dennoch sind damit eine *Zusammenfassung*, eine *Unterordnung* und ein *Dienst* gemeint, die weit über den Koitus hinausweisen. Dieser bildet für Freud nur den leibhaftigen Kern einer triebgeleiteten Hinwendung zu einem »ganzen Objekt« – im Unterschied zu den Partialobjekten der »Partialtriebe«[15]. Im übertragenen Sinn kann dann ein Künstler seine Kunst oder ein Kunstliebhaber ein Kunstwerk eher als Partialobjekt oder eher als Ganzobjekt besetzen.[16] Dieses Kriterium, auf das ich unten nochmals zu sprechen komme, wurde und wird von Psychoanalytikern vielfach normativ mißbraucht, etwa um darzulegen, was »reife Liebe« sei.

In der Psychoanalyse nach Freud sind sehr differenzierte und sehr unterschiedliche Konzepte entwickelt worden, um den *Urzustand* der Liebe – also die emotionale, kognitive und interpersonale Welt des Säuglings – zu bestimmen. Wir können diesen Urzustand ja immer nur nachträglich rekonstruieren und mit den sprachlichen Mitteln der Erwachsenenwelt konstruieren. Aus heutiger Sicht handelt es sich auch weniger um einen Urzustand als um einen »teleskopisch«[17] gedachten Aufbau von Zuständen, in denen wiederum

---

13 Unten, S. 153–159.

14 Unten, S. 156.

15 Ibid.

16 Diese oft doppelt oder dreifach gebrochene sexuelle Metaphorik der psychoanalytischen Sprachverwendung gibt Anlaß zu manchen Mißverständnissen.

17 Vgl. R. Reiche, *Geschlechterspannung. Eine psychoanalytische Untersuchung*, Fischer Taschenbuch Verlag, Frankfurt am Main 1990, S. 59 mit Anm. 11, S. 63.

frühere Zustände aufgehoben sind. Hier ist insbesondere die Frage von Bedeutung, ob wir uns die früheste subjektive Welt des Säuglings tatsächlich als ein autoerotisches Stadium vorstellen dürfen, wie Freud dies tat, oder ob wir nicht bereits dem Säugling »primäre Liebe« unterstellen sollen. Letztere Position wurde sehr originell von Michael Balint vertreten. Er hat dieses Thema als Polarität von »primärem Narzißmus« und »primärer Liebe« bearbeitet.[18] Von Balint stammt auch der Begriff der Eroberungsarbeit (conquest work)[19], mit dem dargestellt werden soll, daß der Erwachsene in der »genitalen Liebe« im Unterschied zur »oralen Liebe« des Säuglings das (geliebte) Objekt für seine Ursprungswünsche gewinnen muß. Aus der empirischen Säuglingsforschung wissen wir inzwischen, daß bereits der Säugling »Eroberungsarbeit« am primären Objekt (Mutter oder deren Substitut) leistet und dieses auf jeden Fall viel zielgerichteter und kompetenter behandelt, als Freud oder selbst Balint annahmen.

Daraus ergibt sich sofort die Frage, ob und wie ausschließlich wir die dialogische, kommunikative Kompetenz, die der Säugling einsetzt, um zu Befriedigung, Harmonie und Erkanntwerden zu gelangen, als triebbestimmt bezeichnen sollen. Hierüber gibt es in der Psychoanalyse höchst kontroverse Auffassungen, die uns nicht näher zu beschäftigen brauchen. Denn gleichgültig, ob wir den »Ursprung« als einen der Lust (Freud), des harmonischen Gehaltenseins (Winnicott[20]) oder des empathischen Erkanntwerdens (Kohut[21]) konzeptualisieren – alle psychoanalytischen Konzepte der Liebe stimmen darin überein, daß die Objektfindung eine in sich gebrochene, in Struktur, Erfahrung und Arbeit ausdifferenzierte Wiederfindung ist.

---

18 M. Balint, ›Primärer Narzißmus und primäre Liebe‹, Teil II in: ders., *Therapeutische Aspekte der Regression. Die Theorie der Grundstörung*, Ernst Klett Verlag, Stuttgart 1970.

19 M. Balint, *Die Urformen der Liebe und die Technik der Psychoanalyse*, Fischer Bücherei, Frankfurt am Main 1969, S. 126.

20 Vgl. z. B. Donald W. Winnicott, ›Primäre Mütterlichkeit‹, in: ders., *Von der Kinderheilkunde zur Psychoanalyse*, Kindler Verlag, München 1976, S. 153 bis 160.

21 Vgl. z. B. Heinz Kohut, *Die Heilung des Selbst*, Suhrkamp Verlag, Frankfurt am Main 1979, Kapitel 2.

Was ist nun endlich das *Etwas* des Urzustands, das im Objekt wiedergefunden werden soll? Inhaltlich kann jedes Teil des gesamten Universums der belebten und unbelebten Natur die Stelle dieses Etwas einnehmen. In Marcel Prousts *Auf der Suche nach der verlorenen Zeit* ist es als Geschmacksassoziation eines Gebäcks repräsentiert, der Madeleine, die den Dichter in die Gefilde der melancholisch-glückseligen Ununterschiedenheit trägt. In der obsessiven Liebe eines pädophilen Mannes mag es sich in dem Geräusch der Fahrradklingeln und der hochgestimmten Rufe von Jungen darstellen, die auf ihren Rädern durch den Wald flitzen. Zwar liegen die Dinge zumeist nicht derart klar benennbar auf der Hand, doch weisen sie als »Deckerinnerungen«[22] jedesmal auf etwas Davorliegendes, das wiederum auf etwas Davorliegendes verweist – und das unverbrüchlich für eine Phantasie oder eine Erinnerungsspur von Befriedigung, Glück und Ungetrenntheit steht.
Aus einer Summation solcher mannigfachen, meist unbewußten Elemente werden die je individuellen *Liebesbedingungen* geformt, von denen Freud in den ›Beiträgen zur Psychologie des Liebeslebens‹ spricht.[23] Was wir Liebe nennen, umfaßt den Spannungsbogen von der »ursprünglichen« Subjekt/Objekt-»Einheit« – wie immer wir diese zu konzeptualisieren versuchen – bis zu den individuellen, von Jugendlichen wie Erwachsenen gebieterisch und intolerant geforderten Bedingungen, denen das Objekt entsprechen muß, von dem sie geliebt werden und dem sie Liebe schenken wollen. In diesen individuellen Liebesbedingungen – seien sie nun bewußt durch eine breite männliche, eine große oder kleine oder schöne oder überhaupt keine weibliche Brust repräsentiert, durch eine Fahrradklingel oder einen zuverlässigen Charakter, einen koketten Augenaufschlag oder eine gleichmäßige Landschaft – ist in jedem Fall in entstellter, vielfach gebrochener Form eine innere Überzeugung enthalten, es müsse ein Objekt geben, das einem alles bietet, dessen man bedarf. In diesem Sinne meinte Melanie Klein (1957): »Es ist gut möglich, daß die Tatsache, daß das Kind im vorgeburtlichen Zustand einen Teil der Mutter bildete, zu dem inneren Gefühl bei-

22 Unten, S. 35–56.
23 Unten, S. 93 ff.

trägt, daß ein Objekt existiert, das ihm alles geben wird, was es braucht und begehrt.«[24]

Dem Problem der *Verliebtheit* nähert Freud sich meist von der Position der unlustvoll empfundenen Getrenntheit her. Dem Objekt wird das Etwas zugeschrieben, das das Subjekt bei sich vermißt und von dem es behauptet, nur dieses und kein anderes Objekt könne es ihm geben. Das Objekt wird also mit idealen Eigenschaften ausgestattet, und zwar mit den zum Ichideal des Subjekts gehörenden Eigenschaften. Die »Liebesverblendung« läßt sich nach Freud »restlos in eine Formel zusammenfassen: *Das Objekt hat sich an die Stelle des Ichideals gesetzt*«[25]. In dieser Formel kommt demnach ein allgemeiner projektiver Mechanismus der Verliebtheit zum Ausdruck: Ich projiziere ideale (erwünschte, ersehnte) Selbst-Eigenschaften (oder Zustände) derart auf das Objekt, daß ich sie in diesem als gegeben wiedererkenne und, nunmehr von ihnen getrennt, im Objekt begehre. An anderer Stelle sagt Freud, »der Unterschied zwischen einer gewöhnlichen erotischen Objektbesetzung und dem Zustand einer Verliebtheit bestehe darin, daß in letzterem Falle ungleich mehr Besetzung auf das Objekt übergeht, das Ich sich gleichsam nach dem Objekt entleert«[26]. Durch diese Überpointierung will er die Nähe der Verliebtheit zu pathologischen – eben entleerten – Zuständen unterstreichen. Hierzu gehört auch der »*zwanghafte* Charakter«[27] der Verliebtheit, der sich aus dem angedeuteten projektiven Mechanismus erklärt. Ist dieser einmal in Gang gekommen, kann er leicht eine unbeherrschbare totalitäre Dynamik entfalten: Erfüllung oder Untergang, Liebe oder Tod. Aus der Formulierung »Überschätzung des Sexualobjekts«[28] hat Freud dann die heute zum stehenden Begriff gewordene »Sexualüberschätzung« entwickelt

---

24 M. Klein, ›Neid und Dankbarkeit‹, in: dies., *Das Seelenleben des Kleinkindes*, Klett-Cotta Verlag, Stuttgart 1983, S. 225.

25 S. Freud, *Massenpsychologie und Ich-Analyse*, in: ders., *Gesammelte Werke*, Bd. 13, Imago Publishing Co., London 1940, S. 125.

26 S. Freud, ›Der Humor‹, in: ders., *Gesammelte Werke*, Bd. 14, Imago Publishing Co., London 1948, S. 387.

27 Unten, S. 96.

28 Unten, S. 105.

und daraus die »Täuschung« und Illusionsbildung abgeleitet[29], die notwendig zur Verliebtheit gehört.
In allen seinen wissenschaftlichen Schriften hat Freud das Glücksgefühl und die Hochstimmung, die mit der Verliebtheit einhergehen, verdächtigerweise ganz unterschlagen. Wenn auch diese Stimmungen, wie jedermann weiß, sehr schnell in ihr Gegenteil, Nichtigkeit und Leere, umkippen können, so sind sie doch allgegenwärtig und üben eine so große Anziehungskraft aus, daß viele Menschen geradezu süchtig bleiben auf den Zustand der Verliebtheit und ihn nicht gegen eine »feste« oder »geordnete« Liebe eintauschen wollen, die sie dann mit solchen oder anderen Adjektiven schlechtmachen. In Freuds Brautbriefen an Martha Bernays, seine spätere Frau, lernen wir jedoch einen innig verliebten jungen Mann kennen, dem diese Gefühle überaus vertraut sind.[30] Wer Freuds spätere Äußerungen zur Verliebtheit insgesamt an sich vorüberziehen läßt, kann sich des Eindrucks nicht erwehren, daß Freud diesen Zustand im nachhinein auch mit wissenschaftlichen Rationalisierungen entwertet hat.
Die Psychoanalyse hat sich auch späterhin mit der Verliebtheit immer schwergetan. Selbst Bertram D. Lewin, der dem Thema des Hochgefühls eine eindrucksvolle Monografie gewidmet hat, meint, »sichere Hinweise auf die Bedeutung ›wirklichen‹ oder normalen Glücks«[31] seien von der Psychoanalyse nicht zu erwarten. Obwohl Lewin mit der von ihm formulierten »Trias der oralen Wünsche« – fressen (verschlingen), gefressen werden, einschlafen[32] – ein gültiges Grundmodell für das psychoanalytische Verständnis von Ekstase und Orgasmus geschaffen hat, enthält er sich ganz überflüssigerweise der Versuchung, diese Trias auf die Verliebtheit anzuwenden.

---

29 S. Freud, *Massenpsychologie und Ich-Analyse*, a. a. O., S. 123 f.

30 S. Freud, *Brautbriefe. Briefe an Martha Bernays aus den Jahren 1882–1886*, ausgew., hrsg. und mit einem Vorwort vers. von Ernst L. Freud, Fischer Bücherei, Frankfurt am Main 1968; Nachdruck Fischer Taschenbuch Verlag, Frankfurt am Main 1988.

31 B. D. Lewin, *Das Hochgefühl. Zur Psychoanalyse der gehobenen, hypomanischen und manischen Stimmung*, Suhrkamp Verlag, Frankfurt am Main 1982, S. 172.

32 A. a. O., S. 100.

Wenn aber die Verliebtheit kein wirkliches Glück darstellt, was dann?

Genitale Liebe, wahre Liebe, reife Liebe.

Jede Vertiefung in das Problem der Liebe führt, wie die Vertiefung der Liebe selbst, zur Frage der Umwandlungen, die sie auf ihrem Weg durchlaufen muß. Bereits in Platons *Symposion* steht die Selbsttransformation des Eros – von der Begierde über die Dichotomie von Zeugung und Knabenliebe bis zum Zusichselbstkommen des Eros in der Erkenntnis von Wahrheit und Schönheit – im Mittelpunkt des Diskurses. Diese »Liebesdialektik« (Foucault[33]) zentriert seitdem den philosophischen Diskurs der Liebe – gleichgültig wie leibnah oder leibfern dieser seinem eigenen Anspruch nach auftritt. Michel Foucault rekonstruiert in seiner Platon-Interpretation verschiedene »Übergänge in der Bewegung des Eros«[34] gleichsam von den disparaten Wahrheiten der Liebe bis zur Liebe zur Wahrheit. Und für Foucaults großangelegte Untersuchung über »Sexualität und Wahrheit« gelten in gewisser Weise die gleichen Übergänge, die er an Platon konstatiert: angetreten mit einem rigorosen anti-moralischen Impuls, findet Foucault zu einer Sittenlehre des »Gebrauchs der Lüste«, die trotz jeglicher Ablehnung konventioneller Normen und Verhaltensstandards doch in eine radikalisierte Sublimierungsethik mündet.

Liest man Freuds Schriften als einen solchen Liebesdiskurs, dann kann man ihnen natürlich auch eine Ethik des »richtigen Gebrauchs« der Liebe entnehmen. Sein Konzept des »Primats der Genitalität« stellt ja, wie schon erwähnt, das Paradigma jeder psychoanalytischen Typologie der Liebe dar. Bei isolierter Lektüre der entsprechenden Stellen kann durchaus der Anschein – oder das Mißverständnis – entstehen, Freud habe die Ideologie einer normativen Ethik der Heterosexualität, der Ehemoral, der sittlichen Reife, kurz einer konservativen, auf Fortpflanzungsbiologie sich berufenden Ordnung der Dinge vertreten. Betrachtet man die Texte jedoch aus der Perspektive seines Gesamtwerks, so löst sich dieser Ein-

33 M. Foucault, *Sexualität und Wahrheit*, Zweiter Band: *Der Gebrauch der Lüste*, Suhrkamp Verlag, Frankfurt am Main 1986, S. 303.

34 A. a. O., Kapitel 5, S. 298–309.

druck wieder auf. Das Konzept »Primat der Genitalität« wurde erstmals 1905 in den *Drei Abhandlungen zur Sexualtheorie* formuliert. Es bildete für Freud das gedankliche Grundmodell einer allerdings erst später herausgearbeiteten Konzeptualisierung von *psychischer Struktur* überhaupt. Diese nimmt für Freud ihren Ausgangspunkt immer vom körperlichen Substrat, also von den biologischen Reifungsvorgängen. Die oben zitierte »Zusammenfassung der Partialtriebe« bezieht sich demnach auf ein Grundproblem der Strukturbildung des psychischen Apparats. Und ebenso bezieht sich die »Unterordnung unter das Primat der Genitalien« weniger auf eine wie immer geartete Verhaltensnorm als auf Grundprobleme der Objektbeziehung (Beziehung zu einem »ganzen« Objekt) und der Überich-Bildung.

Auch wenn Freud die *Verdrängung* und die *Sublimierung* unter dem Titel der »Triebschicksale« oder der »Triebumwandlungen« beschreibt[35], sucht er eine Antwort auf eben dieses Grundproblem: wie unter den Anforderungen der Außenwelt (Realitätsprinzip) der triebgesteuerte primäre Narzißmus (Lustprinzip) Zug um Zug modifiziert wird und wie subjektiv bedeutsame Teile der Außenwelt allmählich in Innenwelt verwandelt, verinnerlicht werden und psychische Struktur entsteht. So enthält das Konzept der Sublimierung, das in jeder Typologie der Liebe eine zentrale Stelle einnimmt, keineswegs die ethische Forderung dessen, was mit den »ursprünglichen« Triebwünschen zu geschehen habe. Es bezieht sich vielmehr auf die Frage der Formung, der Strukturbildung überhaupt. Jedenfalls hat Sublimierung wenig gemein mit der »platonischen Liebe« des Volksmundes. Man kann ein Objekt auf sehr unsublimierte Art und Weise »platonisch« lieben und in einer sehr sublimierten Form leidenschaftliche sexuelle Liebe mit ihm genießen.

Dennoch hat Freud recht, wenn er seinen Gegnern vorhält, es sei ihnen entgangen, »wie nahe die erweiterte Sexualität der Psychoanalyse mit dem *Eros* des göttlichen Plato zusammentrifft«[36]. Diese

---

35 S. Freud, ›Triebe und Triebschicksale‹, in: ders., *Gesammelte Werke*, Bd. 10, Imago Publishing Co., London 1946, S. 219, 223.

36 S. Freud, *Drei Abhandlungen zur Sexualtheorie*, Vorwort zur vierten Auflage, 1920, a. a. O., S. 32.

Nähe zeigt sich sogar bei einem Vergleich des dreigeteilten Strukturkonzeptes (Es, Ich, Überich) mit Platons Konzeption der Seele als dreigeteilt in Begierde, Wille und Denken.[37] Es ergeben sich zwanglos Verbindungslinien vom Es zur Begierde, vom Ich zum Willen und vom Überich zum Denken. Und sowenig der Tugendbegriff bei Platon (sophrosyne) irgendeine Ausschließung des Leibes meint[38], so wenig meint der Begriff der Sublimierung bei Freud eine Ausschließung des Triebes. Wie es Platon um eine Verwandlung der Begierde des Eros geht, so Freud um eine Umwandlung von Triebzielen – oder besser von »Triebquanten« – und um ihre Verwendung für andere als die »ursprünglichen« Zwecke. Diese neuen Zwecke werden dann nicht im Sinne einer Ethik, sondern in einer topographischen oder biologischen Metaphorik als »höhere« oder »reifere« bezeichnet: die Lust am Denken, die Anschauung des Schönen (Kunst), die sozialen Ambitionen usw.

Freud hat zwar von »Vorstufen des Liebens« gesprochen[39], besonders wo er das innige Verhältnis von *Liebe und Haß* untersuchte. Aber es lag ihm fern, eine »Endstufe« der Liebe zu proklamieren. Und doch stehen wir in der klinischen Diagnostik ebenso wie in der Anwendung der Psychoanalyse auf historische, gesellschaftliche und ästhetische Fragestellungen immer wieder vor dem Problem, unterschiedliche Ausformungen von Objektbeziehungen und die mit ihnen einhergehenden Arten und Entwicklungsstufen des Liebens und Hassens unterscheiden zu müssen.[40] Die Schwierigkeit be-

---

37 Platon, *Phaidros*, übers. von Friedrich Schleiermacher, in: Platon, *Sämtliche Werke*, Bd. 4, Rowohlt Verlag, Reinbek 1980.

38 Vgl. die Platon-Interpretation von Wilhelm Schmid, *Die Geburt der Philosophie im Garten der Lüste. Michel Foucaults Archäologie des platonischen Eros*, Athenäum Verlag, Frankfurt am Main 1987, S. 83: »Nicht der Ausschluß des Leibes charakterisiert in Platons Symposion die wahrhafte Liebe, sondern, wie Foucault bemerkt, ›daß sie durch die Erscheinungen des Objekts hindurch Bezug zur Wahrheit ist‹.«

39 S. Freud, ›Triebe und Triebschicksale‹, a. a. O., S. 232.

40 Hier seien stellvertretend drei klassische Arbeiten genannt, die sich mit dem schwierigen Thema der Entwicklungs- und Reifestufen der Liebe befassen: M. Balint, ›Über genitale Liebe‹ (1947), in: ders., *Die Urformen der Liebe und die Technik der Psychoanalyse*, a. a. O., S. 120–132. – Erik H. Erikson, *Identität und Lebenszyklus. Drei Aufsätze* (1946, 1950, 1956; als Buch 1959),

steht darin, daß wir den biologischen Reifebegriff nicht einfach auf die psychische Entwicklung übertragen können; denn wenn immer wir versuchen, »neutral« von Entwicklungsniveaus zu sprechen, schwingt unweigerlich eine gesellschaftliche Normvorstellung mit. Unter dem Stichwort *Ambivalenz aushalten* fassen wir heute eine solche Reifestufe zusammen, die dann als erreicht gilt, wenn wir anerkennen und gestaltend damit umgehen können, daß wir gegensätzliche Strebungen von Liebe und Haß auf ein und dasselbe Objekt gerichtet haben. Dieses Thema ist in der Nachfolge Freuds besonders originell von Melanie Klein bearbeitet worden. Ihr Konzept der *depressiven Position* bezieht sich genau hierauf: das Kind erkennt und lernt ertragen, daß es das geliebte Objekt zerstören wollte, und es empfindet darüber Trauer und Schmerz. Melanie Klein hat uns damit den Weg zu einem Verständnis der Liebe gebahnt, das auf eine nicht-moralisierende und nicht-ideologische Weise den inneren Zusammenhang von triebhafter Liebe, Sorge und Schuldgefühl aufzeigt.[41]

Demgegenüber muten alle positiven Setzungen, was »wahre Liebe« zu sein habe, wie eine Unfähigkeit an, Ambivalenz zu ertragen. Diese wird dann zugunsten einer Idealisierung verleugnet. Solche Idealisierung kann nach beiden Seiten erfolgen: Idealisierung des Triebs und Idealisierung des Schuldgefühls (der Moral, des Altruismus usw.). Stellvertretend für andere sei hier eine leicht abschrekkende Äußerung aus dem Munde eines im übrigen sehr verdienst-

---

Suhrkamp Verlag, Frankfurt am Main 1966. – Otto Kernberg, ›Grenzen und Strukturen in Liebesbeziehungen‹ (1985), in: ders., *Innere Welt und äußere Realität. Anwendungen der Objektbeziehungstheorie*, Verlag Internationale Psychoanalyse, München – Wien 1988.

41 M. Klein, ›Zur Psychogenese der manisch-depressiven Zustände‹, in: dies., *Das Seelenleben des Kleinkindes*, a. a. O., S. 67: »Die volle Identifizierung mit dem Objekt basiert auf der libidinösen Bindung zunächst an die Brust, dann an die ganze Person und geht einher mit Angst und Sorge um das Objekt (vor seiner Zerstückelung), mit Schuldgefühlen und Gewissensbissen, mit dem Gefühl der Verantwortung, es gegen Verfolger und das Es zu schützen, und mit Trauer über den drohenden Verlust. Diese Empfindungen (die zu einem Teil bewußt sein können) gehören meiner Meinung nach zu den wesentlichen und grundlegenden Elementen jenes Gefühls, das wir Liebe nennen.«

vollen und kreativen Psychoanalytikers, Karl Menningers, zitiert: »Wahre Liebe macht sich mehr Sorgen um das Wohlergehen einer geliebten Person als um die Befriedigung eigener spontaner Wünsche; sie fordert nichts, sie ist geduldig, freundlich, bescheiden; sie ist frei von Eifersucht, Prahlerei, Dünkel und Willkür. ›Sie verträgt alles, sie glaubt alles, sie hofft alles‹, wie Paulus sagt.«[42] Demgegenüber hat Freud stets den spontanen Egoismus der Liebe betont: »Die Entwicklung des Ichs besteht in einer Entfernung vom primären Narzißmus und erzeugt ein intensives Streben, diesen wiederzugewinnen.«[43] Auf die Gestaltung der Wege und Umwege dieser Wiedergewinnung kommt es viel mehr an als auf eine stets unhaltbare Vorabentscheidung zur Güte.

Der Ödipuskomplex als Knotenpunkt.
Bis hierher haben wir uns in dem unmöglichen Kunststück versucht, psychoanalytisch über die Liebe zu sprechen und vom Ödipuskomplex zu schweigen. Tatsächlich ist für Freud der Ödipuskomplex nicht nur der »Kernkomplex der Neurose«[44]; er hat vielmehr in der Entwicklung der Psychoanalyse immer deutlicher den Stellenwert einer Hauptbezugsachse der Methode und des Wissens angenommen.[45] Er bildet also auch die Hauptbezugsachse oder den internen Organisator des psychoanalytischen Beitrags zum Diskurs der Liebe. Dies kommt in Freuds Werk auf Schritt und Tritt zum Ausdruck, etwa in dem schönen Satz, »daß, wer im Liebesleben wirklich frei und damit auch glücklich werden soll, den Respekt vor dem Weibe überwunden, sich mit der Vorstellung des Inzests mit Mutter oder Schwester befreundet haben muß«[46]. Dieser Satz enthält in hoher literarischer Verdichtung mehrere Bestimmungen, die in den verschiedenen Arbeiten des vorliegenden Bandes immer wie-

---

42 K. Menninger, *Das Leben als Balance*, Piper Verlag, München 1968, S. 361.

43 S. Freud, ›Zur Einführung des Narzißmus‹, a. a. O., S. 167f.

44 S. Freud, *Drei Abhandlungen zur Sexualtheorie*, a. a. O., S. 127, Anm. 2, und ››Ein Kind wird geschlagen«‹, in: ders., *Gesammelte Werke*, Bd. 12, Imago Publishing Co., London 1947, S. 226.

45 Zur ausführlichen Darstellung des Ödipuskomplexes vgl. R. Reiche, *Geschlechterspannung. Eine psychoanalytische Untersuchung*, a. a. O., S. 54ff.

46 Unten, S. 110.

der ausgeführt werden. An fünf Implikationen dieses Satzes sei der Ödipuskomplex erläutert.

1) Innere Freiheit im Leben und Glück in der Liebe sind gebunden an die »Überwindung« des Ödipuskomplexes, der hier verkürzt als »Inzest mit Mutter oder Schwester [...]« thematisiert wird. Diese Bestimmung wird im ›Untergang des Ödipuskomplexes‹[47] ausgeführt. Die Liebe des Erwachsenen wird also auf die sexuelle Liebe des Kindes bezogen. Dieser sogenannte genetische Gesichtspunkt ist für die Psychoanalyse selbstverständlich. Der Ödipuskomplex wirkt dabei wie ein organisierender Knotenpunkt: »Er war sowohl der Höhepunkt des infantilen Sexuallebens wie auch der Knotenpunkt, von dem alle späteren Entwicklungen ausgingen.«[48] Dieser Höhepunkt wird dann mißdeutet, wenn er allein auf den Inzestwunsch (des Kindes mit dem gegengeschlechtlichen Elternteil) und den komplementären Wunsch bezogen wird, den anderen Elternteil zu ersetzen, zu beseitigen und in letzter Konsequenz: zu töten. Denn der Ödipuskomplex ist als Modellvorstellung so konzipiert, daß mit dem Wunsch zugleich die widerstrebende Erkenntnis der Unmöglichkeit seiner Erfüllung wächst. Diese Einheit des Wunsches und der Unmöglichkeit bzw. der Tödlichkeit seiner Erfüllung bildet auch das Zentrum von Sophokles' Dramatisierung der Ödipus-Sage, die Freud so tief beeindruckt hatte, daß er von ihr den Namen entlieh für den Kernkomplex, den er entdeckte.[49]

2) Die Wendung »Respekt vor dem Weibe« behauptet durch die Gegenüberstellung zum »Inzest mit der Mutter« die Herkunft des Respekts aus dem verdrängten ödipalen Wunsch. Nun war Freud gewiß nicht der Meinung, man solle sich gegenüber einem geliebten oder sexuell begehrten anderen »respektlos« verhalten. Achtung der Autonomie des anderen war für ihn ein ebenso hoher Wert wie Selbstachtung. Dennoch hatte Freud erkannt, daß der in Sozialbe-

---

47 Unten, S. 161–168.

48 S. Freud, *»Selbstdarstellung«*, in: ders., *Gesammelte Werke*, Bd. 14, Imago Publishing Co., London 1948, S. 82.

49 Zusammenfassender Rückblick Freuds auf seine Entdeckung in S. Freud, *Vorlesungen zur Einführung in die Psychoanalyse*, in: ders., *Gesammelte Werke*, Bd. 11, Imago Publishing Co., London 1940, S. 342 ff.

ziehungen sich ausdrückende Respekt *auch* auf unbewußt gewordenen Unterwerfungen beruht. Zu jeder Unterwerfung wiederum gehört die – mindestens unbewußt agierte – Rebellion und Rache des Unterworfenen. Im Arrangement der Geschlechter wird diese Rache in vielfältigen Formen der Entwertung des einen Geschlechts durch das andere inszeniert. Hierauf spielt Freud in diesem Satz an. In den ›Beiträgen zur Psychologie des Liebeslebens‹ werden die zu diesen Entwertungen passenden neurotischen Symptome und Charakterhaltungen typologisch zusammengefaßt. Hierzu gehören insbesondere die interpersonell ausgelebten sexuellen Symptome – wie die Anorgasmie bei der Frau, die erektive Impotenz und die Ejaculatio praecox beim Mann. Besonders an der Ejaculatio praecox, dem vorzeitigen Samenerguß, hat Karl Abraham schon 1917 nachgewiesen, daß mit ihr in der Regel eine aggressive Beschmutzung der Frau ausgedrückt wird.[50] Während der Mann sich der Frau sozusagen offiziell als arm und schwach präsentiert, enthält er ihr gleichzeitig die sexuelle Befriedigung vor.

Die sexuelle Liebe eines Paares hängt ganz wesentlich davon ab, daß der *falsche* Respekt gegenüber dem anderen Geschlecht, zum Beispiel dessen Idealisierung, nicht allzu kompakt sein darf. Zwar ist die Idealisierung, wie wir oben gesehen haben, einerseits erforderlich, um sich zu verlieben, doch muß sie andererseits so durchlässig sein, daß die für jede sexuelle Erregung notwendige Beimischung von Aggression, ja Sadismus, zugelassen werden kann. Auf dieses komplizierte Zusammenspiel haben in jüngerer Zeit insbesondere Martin S. Bergmann[51] und Otto Kernberg[52] hingewiesen.

3) Das Liebesleben wird in diesem Satz allein von einer männlichen

---

50 K. Abraham, ›Über Ejaculatio praecox‹, in: ders., *Psychoanalytische Studien. Gesammelte Werke in zwei Bänden*, hrsg. und eingel. von Johannes Cremerius, Bd. 1, S. Fischer Verlag, Frankfurt am Main 1969, 2., erg. Auflage 1971, S. 43–60.

51 M. S. Bergmann, *The Anatomy of Loving*, Columbia University Press, New York 1987.

52 O. F. Kernberg, *Innere Welt und äußere Realität*, a. a. O. – Ders., ›Sadomasochism, Sexual Excitement, and Perversion‹, in: *Journal of the American Psychoanalytic Association*, Bd. 39, 1991, S. 333–362.

Subjektposition aus betrachtet – aus der Position des Sohnes und Bruders, nicht aus der Position der Tochter und Schwester. Dem entspricht wissenschaftsgeschichtlich, daß Freud den Ödipuskomplex zuerst an sich selbst, in seiner Selbstanalyse, entdeckte. Dieser dramatische Prozeß der Selbstentdeckung hat durchaus Parallelen zur sophokleischen Version des Ödipus-Stoffes. Freud enthüllt gleichsam an sich selbst, was der blinde Seher Teiresias dem Ödipus enthüllt: »Des Mannes Mörder, sag ich, den du suchst, bist du!«[53] Ödipus reagiert auf diese Enthüllung zunächst mit narzißtischer Wut, dann mit dem Willen zur Enthüllung der Wahrheit, dann, angesichts der enthüllten Wahrheit, mit autoaggressiven Impulsen (Selbstblendung) und schließlich mit depressivem Rückzug. Auch von Freud dürfen wir annehmen, daß er durch dieses Fegefeuer der Selbsterkenntnis gehen mußte.

Freud blieb zeitlebens einer Sichtweise der Frau verbunden, die wir heute in der Psychoanalyse als überwunden betrachten können. Sein Bild der Frau als einer Art kastrierten Mannes, eigentlich eines männlichen Mängelwesens[54], kommt in den hier versammelten Schriften vielfach zum Ausdruck. Nichts spricht heute noch dafür, »daß der Natur des Weibes die Masturbation ferner liege«[55], nichts dafür, daß das kleine Mädchen »den groß angelegten Penis eines Bruders [...] sofort als überlegenes Gegenstück«[56] erkennt. Auch Freuds Einschränkung, wonach »unsere Aussagen über den Ödipuskomplex in voller Strenge nur für das männliche Kind passen«[57], haben wir inzwischen aufgegeben.

4) Sophokles' Version der Ödipus-Sage stellt die dramatische Bearbeitung eines sehr alten Stoffes dar und fixiert damit den zu dieser Zeit erreichten historischen Stand der Selbstreflexion einer allgemeinen Menschheitsbedingung; der Mythos wurde lange vor So-

---

53 Sophokles, *König Ödipus*, hrsg. und übertrag. von Wolfgang Schadewaldt, Insel Taschenbuch 15, Insel Verlag, Frankfurt am Main 1973, S. 24.

54 Vgl. hierzu meine Einleitung zu: S. Freud, *Drei Abhandlungen zur Sexualtheorie*, Fischer Taschenbuch Verlag, Frankfurt am Main 1991, S. 23ff.

55 Unten, S. 177.

56 Unten, S. 174.

57 Unten, S. 194.

phokles erzählt und erzählt sich seitdem immer weiter. Ebenso entwickelt sich auch der Ödipuskomplex, wie die Psychoanalyse ihn »erzählt«, seit Freud beständig weiter. In seinem Zentrum steht heute nicht mehr so sehr der unbewußte *Inhalt* des triebhaften Geschehens – Inzest und Mord –, von dem Freud so fasziniert war, sondern die trianguläre *Form* des Geschehens. Der psychische Raum des Kindes wird in der ödipalen Situation durch eine Drei-Personen-Beziehung gebildet – mit allen Möglichkeiten der Beziehung dieser drei Personen untereinander. Das Kind muß jetzt erstmals drei gleichzeitige Beziehungen psychisch verknoten: es geht zu jedem Elternteil eine getrennte Beziehung ein und nimmt sich zugleich als ausgeschlossen von der Beziehung wahr, die die Eltern zueinander haben.[58] Entsprechend muß es lernen, Liebe und Haß, Dabeisein und Ausgeschlossensein, Jetzt-Wünschen und Erst-später-Denken als gleichzeitig anzuerkennen, d. h. zu integrieren. Es muß Ambivalenz ertragen lernen. Diese größte Menschheitsaufgabe klingt im letzten Teil des Satzes an, in dem Freud uns dazu auffordert, uns mit dem Tabu zu »befreunden« – also das Unmögliche für möglich zu halten.

5) Das globale »wer« am Anfang des Zitats verweist auf die Universalität des Ödipuskomplexes. Im Gegensatz zum ›Tabu der Virginität‹[59] und anderen kulturellen Riten oder Vorschriften bezeichnet das Inzesttabu eine anthropologisch universelle Basisinstitution. In ihm spiegelt sich die allgemeine Menschheitsbedingung wider, das soziale Zusammenleben entlang der Anerkennung der Generationen- und der Geschlechterachse zu organisieren.[60] Über die historische, kulturspezifische und schichtenspezifische Ausdifferenzie-

58 Diese Sichtweise des Ödipuskomplexes ist besonders klar herausgearbeitet in: Ronald Britton, ›The Missing Link. Parental Sexuality in the Oedipus Complex‹, in: R. Britton u. a., *The Oedipus Complex Today*, Karnac Books, London 1989, S. 83–101.

59 Unten, S. 116ff.

60 Vgl. hierzu aus soziologischer Sicht den klassischen Aufsatz von Talcott Parsons, ›Das Inzesttabu in seiner Beziehung zur Sozialstruktur und zur Sozialisation des Kindes‹, in: ders., *Beiträge zur soziologischen Theorie*, Luchterhand Verlag, Neuwied und Berlin 1964.

rung des Ödipuskomplexes ist seit Freud viel geforscht worden.[61] Kurz gesagt, bestehen beträchtliche kulturelle und historische Unterschiede darin, *wie* der Ödipuskomplex ausgestaltet wird, aber es gibt keinen Zweifel daran, *daß* ihm in jeder menschlichen Gemeinschaft eine Form gegeben werden muß. Freuds Beiträge zu diesem Thema können heute zugleich als psychohistorisch relevante Darstellung der Ausgestaltung des Ödipuskomplexes in seiner Epoche gelesen werden.

Fragmente einer Soziologie der Liebe.
Freuds Epoche ist die Epoche der Entstehung der Soziologie als Wissenschaft und ihrer Emanzipation aus der Vorherrschaft von Philosophie, Rechtswissenschaft und Theologie. Freud hat jedoch von seinen Zeitgenossen Georg Simmel (1858–1918) und Max Weber (1864–1920) sowenig Kenntnis genommen wie diese von ihm. Sie alle waren so sehr von der Begründung ihres eigenen wissenschaftlichen Paradigmas absorbiert, daß sie die ebenfalls gerade entstehende Nachbardisziplin nicht wahrnehmen konnten.
Für Simmel als Neukantianer und Vertreter einer heute als Lebensphilosophie bezeichneten Schule war es selbstverständlich, sein Paradigma, wonach die Transzendenz dem Leben immanent ist[62], auf die Liebe anzuwenden und diese als ein gesellschaftliches Apriori zu formulieren: »Der Gegenstand der Liebe in seiner ganzen kategorischen Bedeutung ist nicht vor ihr da, sondern erst durch sie. Daraus erst wird ganz klar, daß die Liebe, und erweiternd das

61 Hier seien nur genannt: Hans W. Loewald, ›Das Schwinden des Ödipuskomplexes‹, in: *Jahrbuch der Psychoanalyse*, Bd. 13, 1981, S. 37–62. Paul Parin, ›Der Ausgang des ödipalen Konflikts in drei verschiedenen Kulturen‹, in: ders., *Der Widerspruch im Subjekt. Ethnopsychoanalytische Studien*, Syndikat Verlag, Frankfurt am Main 1978. Anne Parsons, ›Is the Oedipus Complex Universal? The Jones-Malinowski Debate Revisited‹, in: dies., *Belief, Magic, and Anomie. Essays in Psychosocial Anthropology*, The Free Press, New York 1969, S. 3–66.

62 G. Simmel, ›Fragment über die Liebe‹ (1921), in: ders., *Das Individuum und die Freiheit*, Wagenbach Verlag, Berlin 1984, S. 24: »Dem Leben, dem immer in irgendeinem Sinne zeugenden, ist es eigen, mehr Leben hervorzubringen, ein Mehr-Leben zu sein; aber auch auf der Stufe des Seelischen etwas hervorzubringen, was mehr als Leben ist, ein *Mehr-als-Leben* zu sein.«

ganze Verhalten des Liebenden als solchen, etwas schlechthin Einheitliches, aus anderen, sonst bestehenden Elementen nicht Zusammensetzbares ist.«[63] Freud wäre es unmöglich gewesen, dieser Position zu folgen; sie wäre ihm als eine Art Theologie ohne Gott erschienen. Freuds ganze Energie war ja gerade darauf gerichtet, dieses »schlechthin Einheitliche« und »nicht Zusammensetzbare« in seine psychischen Bestandteile aufzulösen.
Heute erkennen wir allmählich, daß der psychoanalytische Beitrag zum Phänomen der Liebe seinerseits begrenzt ist; Leon Altman hat bündig festgestellt: »Liebe paßt in kein Schema der Psychoanalyse.«[64] Wir sind jetzt eher bereit, uns der von Simmel formulierten Polarität der Liebe zu stellen, die sich aus der Antithese zu dem eben zitierten Apriori ergibt: »Denn die Liebe ist dasjenige Gefühl, das – abgesehen von religiösen Gefühlen – enger und unbedingter als irgendein anderes an seinen Gegenstand geknüpft ist.«[65] Die von Simmel auf den Begriff gebrachte Polarität der Liebe bildet den verborgenen philosophischen Hintergrund der psychoanalytischen Dauerkontroverse, die bis heute unter dem Titel primäre Autoerotik versus primäre Liebe geführt wird. Diese Debatte ist, wie vergleichbare andere psychoanalytische Kontroversen, mit psychoanalytischen Mitteln allein und ohne philosophische Reflexion überhaupt nicht zu entscheiden.
Anders als Simmel tut sich Max Webers auf einen verengten Rationalitätsbegriff ausgerichtete Soziologie schwer damit, der »geschlechtlichen« Liebe einen Ort in ihrem System zuzuweisen. Max Weber ist irritiert durch »die spezifische Irrationalität dieses einzigen, wenigstens in seiner letzten Gestalt niemals rational formbaren Aktes«[66]. Gleichsam verschämt und ganz am Rande seiner Grundlegung der Soziologie bezeichnet er die »Macht [...] der geschlechtlichen Liebe« aber doch als die »neben den ›wahren‹ oder ökonomischen und den sozialen Macht- und Prestigeinteressen universellste

63 G. Simmel, a. a. O., S. 20.
64 L. Altman, ›Some Vicissitudes of Love‹, *Journal of the American Psychoanalytic Association*, Bd. 25 (1977), S. 35–52; das Zitat S. 37.
65 G. Simmel, a. a. O., S. 22.
66 M. Weber, *Wirtschaft und Gesellschaft*, a. a. O., S. 466.

Grundkomponente des tatsächlichen Ablaufes menschlichen Gemeinschaftshandelns«[67]. Wenn es dieser Bestimmung zufolge also drei universelle Grundkomponenten menschlichen Gemeinschaftshandelns gibt, von denen eine die sexuelle ist, dann fragen wir uns, warum diese Grundkomponente in der Soziologie seit Max Weber ein so randständiges Dasein führt.

Zwischen diesen beiden geistigen Strömungen – der lebensphilosophisch-assoziativen Simmels und der ängstlich-rationalistischen Webers – bahnt Freud als Soziologe auf eigene Faust der Psychoanalyse einen Zugang zum Verständnis der Gesellschaft. Aus der Retrospektive können wir die in den ›Beiträgen zur Psychologie des Liebeslebens‹ herausgearbeitete Typologie neurotischer Liebesbedingungen als Fragmente einer psychoanalytischen Soziologie der Liebe lesen. Die Liebesbedingungen des geschädigten Dritten, der unendlichen Reihenbildung im Don-Juanismus, der Aufspaltung des (an die Mutter verhafteten) Frauenbildes in Heilige und Hure – lauter unterschiedliche Formen, an der ödipalen Liebe zwanghaft festzuhalten – werden von Freud zusammenfassend als »psychische Impotenz« diagnostiziert.[68] Diese Feststellung hat für ihn zugleich die Bedeutung einer Kulturdiagnose. Ähnlich wurden die in dem Aufsatz ›Über Triebumsetzungen, insbesondere der Analerotik‹ interpretierten Charaktereigenschaften »ordentlich, sparsam und eigensinnig«[69] nach Freud als anale Trias kodifiziert und bilden seitdem die Grundlage für die Kulturdiagnose des Analcharakters.[70] In diesem inzwischen zum Schimpfwort herabgesunkenen Begriff lebt die Ahnung fort, daß dieser Begriff tatsächlich den Träger einer jetzt untergehenden historischen Charakterformation bezeichnet.

Weitgehend verlorengegangen ist in der Psychoanalyse seitdem die von Freud so beständig durchgehaltene Reflexion aller Triebumsetzungen, die wir klinisch täglich beobachten, auf ihre historische und

---

67 M. Weber, a. a. O., S. 464.
68 Unten, S. 108.
69 Unten, S. 145.
70 Zu verweisen ist hier besonders auf die Fortführung der Freudschen Kulturtheorie durch die Kritische Theorie. Vgl. hierzu meine Einleitung zu: S. Freud, *Massenpsychologie und Ich-Analyse / Die Zukunft einer Illusion*. Fischer Taschenbuch Verlag, Frankfurt am Main 1993, S. 25 ff.

gesellschaftliche Dimension. Ohne die vielfältigen Leistungen der psychoanalytischen Kulturtheorie nach Freud geringzuachten und ohne zu vergessen, welche nachhaltigen Wirkungen die Beiträge von Wilhelm Reich oder Herbert Marcuse auf den modernen Diskurs der Sexualität noch immer ausüben[71] – die psychoanalytische Soziologie der Liebe ist immer Fragment geblieben.

Daß Triebumsetzungen und Triebschicksale zugleich Schicksale der Liebe sind und als solche neben ihrer individuellen eine historische Dimension haben, deutet Freud mit der Bemerkung an, »daß die Verliebtheit erst spät in die Sexualbeziehungen zwischen Mann und Weib Eingang fand«[72]. Freud bereitet hier, ähnlich wie Max Weber, ein Thema vor, das heute die Zentralachse für jede Soziologie der Liebe bildet, nämlich deren geschichtliche Plastizität. Bei Weber klang dieses Thema so an: »Auf der Stufe des Bauern ist der Geschlechtsakt ein Alltagsvorgang [...]. Die für unsere Problematik entscheidende Entwicklung ist nun, daß die Geschlechtssphäre zur Grundlage spezifischer Sensationen, zur ›Erotik‹ sublimiert, damit eigenwertgesättigt und *außer*alltäglich wird.«[73] Die beständige Entwertung und Wiederaufwertung dieses Eigenwertgesättigten und die vielfältigen Anstrengungen, dies Außeralltägliche alle Tage haben zu wollen, bilden ebenso den Kern des alltäglichen Liebesdiskurses, wie die Frage nach der historischen Rückbildung dieser Eigenwertgesättigtheit und Außeralltäglichkeit im Zentrum des theoretischen Diskurses steht.

Tatsächlich beziehen sich so gegensätzliche Forschungsrichtungen wie die der französischen ›Annales‹[74] auf der einen, der Systemtheo-

---

71 Vgl. hierzu R. Reiche, ›Sexuelle Revolution – Erinnerung an einen Mythos‹, in: Lothar Baier u. a., *Die Früchte der Revolte. Über die Veränderung der politischen Kultur durch die Studentenbewegung*, Wagenbach Verlag, Berlin 1988, S. 45–71.

72 S. Freud, *Massenpsychologie und Ich-Analyse*, a. a. O., S. 158.

73 M. Weber, a. a. O., S. 468.

74 Vgl. unter anderen Philippe Ariès, ›Liebe in der Ehe‹ und ›Die unauflösliche Ehe‹, in: Ph. Ariès u. a., *Die Masken des Begehrens und die Metamorphosen der Sinnlichkeit*, S. Fischer Verlag, Frankfurt am Main 1984, S. 165–196. Ph. Ariès und Georges Duby (Hrsg.), *Geschichte des privaten Lebens*, 5 Bde., S. Fischer Verlag, Frankfurt am Main 1989–1993. – Die »Geschichte des pri-

rie[75] auf der anderen Seite auf diese Achse, sobald sie sich der Liebe widmen. Niklas Luhmann, der eine ungemein kenntnisreiche Geschichte der Liebe entlang des »Formwandels der Liebessemantik«[76] vorgelegt hat, zeichnet nach, wie im 18. Jahrhundert »eine neuartige Differenz von bewußten und unbewußten Neigungen, Trieben, Zielen«[77] in der – sich in Literaturzeugnissen niederschlagenden – Liebessemantik die bisherigen Polarisierungen von aufrichtiger und unaufrichtiger Liebe, von prüde und kokett usw. ablöst. Luhmann ist weit davon entfernt, diesen Formwandel auf die nun historisch sich durchsetzende Charakterformation zu beziehen, die von der Kritischen Theorie als bürgerliches Individuum beschrieben wurde. Seiner systemtheoretischen Option entspricht es, die Psychoanalyse im ganzen als untaugliches Erkenntnismittel zurückzuweisen. Implizit aber wird deutlich, daß mit der nun – im Roman – einsetzenden Polarisierung von bewußt und unbewußt eine gesellschaftliche Wahrnehmungsform von Trieben und Affekten sich Bahn schafft, die dann von Sigmund Freud zu einem neuartigen wissenschaftlichen Paradigma ausgearbeitet werden wird. Am historischen Endpunkt seiner »Liebe als Passion« angelangt, stellt Luhmann sarkastisch fest: »Die Führung der Liebenden geht vom Roman über auf die Psychotherapeuten.«[78]

Luhmann beschreibt Liebe als »soziales System der Interpenetration«; als solches ist sie selbstverständlich von jeder Verhaftung an leib-seelische Vorgänge radikal entkoppelt. Weil er die Liebe weder aus der Welt schaffen kann noch will, sie aber auch nicht auf derartig altmodische, »unterkomplexe« Kategorien wie Körper oder Seele beziehen darf, sucht er, achtzig Jahre nach Simmel, sein Heil in einem gewissermaßen postmodernen Neukantianismus.[79] »Es gibt

---

vaten Lebens« führt fort, was früher mit »Sittengeschichte« gemeint war, und stellt wohl die für unsere Zeit vorbildliche Geschichte der Liebe von der Antike bis zur Gegenwart dar.

75 N. Luhmann, *Liebe als Passion. Zur Codierung von Intimität*, Suhrkamp Verlag, Frankfurt am Main 1982.

76 N. Luhmann, a. a. O., S. 217.

77 A. a. O., S. 159.

78 A. a. O., S. 218.

79 Jürgen Habermas hat rekonstruiert, wie Luhmanns Systemtheorie die

also, auch dies hatte man immer schon gesagt, keinen Grund für Liebe. [...] Radikaler als je zuvor wird man konzedieren müssen, daß Liebe alle Eigenschaften auflöst, die für sie Grund und Motiv sein könnten.«[80] Die Liebe hat ein weiteres Mal über alle Anfechtungen gesiegt.

Soziologisch kann Liebe gerade nicht als Gefühl untersucht werden, sondern nur als »Kommunikations-Code, nach dessen Regeln man Gefühle ausdrücken [...] kann«[81]. Demgegenüber besteht die Psychoanalyse darauf, das dem *Code* zugrundeliegende *Gefühl* (Affekte, Affektderivate, Gestimmtheiten) mit Hilfe des Codes aufzuschlüsseln und das anthropologisch Konstante an diesem Gefühl vom historisch Variablen zu scheiden. Dabei drohen der Psychoanalyse nun ihrerseits die historischen und sozialstrukturellen Regeln aus dem Blick zu geraten, die dafür sorgen, daß bestimmte Gefühle und Befindlichkeiten überhaupt evolutionär in Führung gehen können. Eifersucht etwa, einerseits ein anthropologisch universeller Affekt, scheint in früheren Epochen, etwa in der römischen Antike oder im frühen europäischen Mittelalter, als solche überhaupt nicht erlebbar und darstellbar gewesen zu sein, jedenfalls nicht in Intimbeziehungen. Befindlichkeiten und Fähigkeiten, die wir heute unbedingt zur Liebe zählen – wie etwa Selbstthematisierung, Intimität, Einfühlung –, scheinen in früheren Gesellschaftsformationen nur eine sehr untergeordnete und rudimentäre Bedeutung gehabt zu haben. Die Liste ließe sich fortsetzen.

Alle diese Affekte, Befindlichkeiten und Fähigkeiten haben eine historisch variable *und* eine innerpsychische, anthropologisch eher invariable Dimension. Die Psychoanalyse bewegt sich auf der Linie der vielen Schnittpunkte dieser beiden Dimensionen – oder sie sollte dies wenigstens tun. In vielen einzelnen Äußerungen in Sachen

---

»Grundbegriffe und Problemstellungen der Subjektphilosophie beerben und zugleich deren Problemlösungskapazität überbieten« will. J. Habermas, ›Exkurs zu Luhmanns systemtheoretischer Aneignung der subjektphilosophischen Erbmasse‹, in: ders., *Der philosophische Diskurs der Moderne*, Suhrkamp Verlag, Frankfurt am Main 1985, S. 426.

80 N. Luhmann, a. a. O., S. 222 f.

81 N. Luhmann, a. a. O., S. 23.

Liebe und Sexualität ist Freud ein Kind seiner Zeit geblieben. Wie sollte es auch anders sein? Wer jedoch lernen will, sich methodisch auf der Linie dieser Schnittpunkte zu bewegen, wird immer wieder zu Freuds Texten über Liebe und Sexualität zurückgehen.

ÜBER DECKERINNERUNGEN

(1899)

ÜBER DECKERINNERUNGEN

Im Zusammenhange meiner psychoanalytischen Behandlungen (bei Hysterie, Zwangsneurose u. a.) bin ich oftmals in die Lage gekommen, mich um die Bruchstücke von Erinnerungen zu bekümmern, die den einzelnen aus den ersten Jahren ihrer Kindheit im Gedächtnisse geblieben sind. Wie ich schon an anderer Stelle angedeutet habe, muß man für die Eindrücke dieser Lebenszeit eine große pathogene Bedeutung in Anspruch nehmen. Ein psychologisches Interesse aber ist dem Thema der Kindheitserinnerungen in allen Fällen gesichert, weil hier eine fundamentale Verschiedenheit zwischen dem psychischen Verhalten des Kindes und des Erwachsenen auffällig zutage tritt. Es bezweifelt niemand, daß die Erlebnisse unserer ersten Kinderjahre unverlöschbare Spuren in unserem Seeleninnern zurückgelassen haben; wenn wir aber unser *Gedächtnis* befragen, welches die Eindrücke sind, unter deren Einwirkung bis an unser Lebensende zu stehen uns bestimmt ist, so liefert es entweder nichts oder eine relativ kleine Zahl vereinzelt stehender Erinnerungen von oft fragwürdigem oder rätselhaftem Wert. Daß das Leben vom Gedächtnis als zusammenhängende Kette von Begebenheiten reproduziert wird, kommt nicht vor dem sechsten oder siebenten, bei vielen erst nach dem zehnten Lebensjahr zustande. Von da an stellt sich aber eine konstante Beziehung zwischen der psychischen Bedeutung eines Erlebnisses und dessen Haften im Gedächtnis her. Was vermöge seiner unmittelbaren oder bald nachher erfolgten Wirkungen wichtig erscheint, das wird gemerkt; das für unwesentlich Erachtete wird vergessen. Wenn ich mich an eine Begebenheit über lange Zeit hin erinnern kann, so finde ich in der Tatsache dieser Erhaltung im Gedächtnisse einen Beweis dafür, daß dieselbe mir damals einen tiefen Eindruck gemacht hat. Ich pflege mich zu wundern, wenn ich etwas *Wichtiges* vergessen, noch mehr vielleicht, wenn ich etwas scheinbar Gleichgültiges bewahrt haben sollte.

Erst in gewissen pathologischen Seelenzuständen wird die für den normalen Erwachsenen gültige Beziehung zwischen psychischer

Wichtigkeit und Gedächtnishaftung eines Eindruckes wieder gelöst. Der Hysterische z.B. erweist sich regelmäßig als amnestisch für das Ganze oder einen Teil jener Erlebnisse, die zum Ausbruch seiner Leiden geführt haben und die doch durch diese Verursachung für ihn bedeutsam geworden sind oder es auch abgesehen davon, nach ihrem eigenen Inhalt, sein mögen. Die Analogie dieser pathologischen Amnesie mit der normalen Amnesie für unsere Kindheitsjahre möchte ich als einen wertvollen Hinweis auf die intimen Beziehungen zwischen dem psychischen Inhalt der Neurose und unserem Kinderleben ansehen.

Wir sind so sehr an diese Erinnerungslosigkeit der Kindereindrücke gewöhnt, daß wir das Problem zu verkennen pflegen, welches sich hinter ihr verbirgt, und geneigt sind, sie als selbstverständlich aus dem rudimentären Zustand der seelischen Tätigkeiten beim Kinde abzuleiten. In Wirklichkeit zeigt uns das normal entwickelte Kind schon im Alter von drei bis vier Jahren eine Unsumme hoch zusammengesetzter Seelenleistungen in seinen Vergleichungen, Schlußfolgerungen und im Ausdruck seiner Gefühle, und es ist nicht ohne weiteres einzusehen, daß für diese, den späteren so vollgleichwertigen psychischen Akte Amnesie bestehen muß.

Eine unerläßliche Vorbedingung für die Bearbeitung jener psychologischen Probleme, die sich an die ersten Kindheitserinnerungen knüpfen, wäre natürlich die Sammlung von Material, indem man durch Umfrage feststellt, was für Erinnerungen aus dieser Lebenszeit eine größere Anzahl von normalen Erwachsenen mitzuteilen vermag. Einen ersten Schritt nach dieser Richtung haben V. und C. Henri 1895 durch Verbreitung eines von ihnen aufgesetzten Fragebogens getan; die überaus anregenden Ergebnisse dieser Umfrage, auf welche von hundertdreiundzwanzig Personen Antworten einliefen, wurden dann von den beiden Autoren 1897 in L'année psychologique T. III veröffentlicht. (Enquête sur les premiers souvenirs de l'enfance.) Da mir aber gegenwärtig die Absicht ferneliegt, das Thema in seiner Vollständigkeit zu behandeln, werde ich mich mit der Hervorhebung jener wenigen Punkte begnügen, von denen aus ich zur Einführung der von mir so genannten »Deckerinnerungen« gelangen kann.

Das Lebensalter, in welches der Inhalt der frühesten Kindheitserinnerung verlegt wird, ist meist die Zeit zwischen zwei und vier Jahren (so bei achtundachtzig Personen in der Beobachtungsreihe der Henri). Es gibt aber einzelne, deren Gedächtnis weiter zurückreicht, selbst bis in das Alter vor dem vollendeten ersten Jahr, und anderseits Personen, bei denen die früheste Erinnerung erst aus dem sechsten, siebenten, ja achten Jahre stammt. Womit diese individuellen Verschiedenheiten sonst zusammenhängen, läßt sich vorläufig nicht angeben; man bemerkt aber, sagen die Henri, daß eine Person, deren früheste Erinnerung in ein sehr zartes Alter fällt, etwa ins erste Lebensjahr, auch über weitere einzelne Erinnerungen aus den nächsten Jahren verfügt und daß die Reproduktion des Erlebens als fortlaufende Erinnerungskette bei ihr von einem früheren Termin – etwa vom fünften Jahre an – anhebt als bei anderen, deren erste Erinnerung in eine spätere Zeit fällt. Es ist also nicht nur der Zeitpunkt für das Auftreten einer ersten Erinnerung, sondern die ganze Funktion des Erinnerns bei einzelnen Personen verfrüht oder verspätet.

Ein ganz besonderes Interesse wird sich der Frage zuwenden, welches der *Inhalt* dieser frühesten Kindheitserinnerungen zu sein pflegt. Aus der Psychologie der Erwachsenen müßte man die Erwartung herübernehmen, daß aus dem Stoff des Erlebten solche Eindrücke als merkenswert ausgewählt werden, welche einen mächtigen Affekt hervorgerufen haben oder durch ihre Folgen bald nachher als bedeutsam erkannt worden sind. Ein Teil der von den Henri gesammelten Erfahrungen scheint diese Erwartung auch zu bestätigen, denn sie führen als die häufigsten Inhalte der ersten Kindheitserinnerungen einerseits Anlässe zu Furcht, Beschämung, Körperschmerzen u. dgl., anderseits wichtige Begebenheiten wie Krankheiten, Todesfälle, Brände, Geburt von Geschwistern usw. auf. Man würde so geneigt anzunehmen, daß das Prinzip der Gedächtnisauswahl für die Kinderseele das nämliche sei wie für die Erwachsenen. Es ist nicht unverständlich, aber doch ausdrücklicher Erwähnung wert, daß die erhaltenen Kindheitserinnerungen ein Zeugnis dafür ablegen müssen, auf welche Eindrücke sich das Interesse des Kindes zum Unterschiede von dem des Erwachsenen gerichtet hat. So erklärt es sich dann leicht, daß z. B. eine Person mitteilt, sie erinnere sich aus dem Alter von zwei Jahren an verschiedene

Unfälle, die ihren Puppen zugestoßen sind, sei aber amnestisch für die ernsten und traurigen Ereignisse, die sie damals hätte wahrnehmen können.

Es steht nun im schärfsten Gegensatz zu jener Erwartung und muß gerechtes Befremden hervorrufen, wenn wir hören, daß bei manchen Personen die frühesten Kindheitserinnerungen alltägliche und gleichgültige Eindrücke zum Inhalt haben, die beim Erleben eine Affektwirkung auch auf das Kind nicht entfalten konnten und die doch mit allen Details – man möchte sagen: überscharf – gemerkt worden sind, während etwa gleichzeitige Ereignisse nicht im Gedächtnis behalten wurden, selbst wenn sie nach dem Zeugnis der Eltern seinerzeit das Kind intensiv ergriffen hatten. So erzählen Henri von einem Professor der Philologie, dessen früheste Erinnerung, in die Zeit zwischen drei und vier Jahren verlegt, ihm das Bild eines gedeckten Tisches zeigte, auf dem eine Schüssel mit Eis steht. In dieselbe Zeit fällt auch der Tod seiner Großmutter, der das Kind nach Aussage seiner Eltern sehr erschüttert hat. Der nunmehrige Professor der Philologie weiß aber nichts von diesem Todesfall, er erinnert sich aus dieser Zeit nur an eine Schüssel mit Eis.

Ein anderer berichtet als erste Kindheitserinnerung eine Episode von einem Spaziergang, auf dem er von einem Baum einen Ast abbrach. Er glaubt noch heute angeben zu können, an welchem Ort das vorfiel. Es waren mehrere Personen mit dabei, und eine leistete ihm Hilfe.

Henri bezeichnen solche Fälle als selten vorkommende; nach meinen – allerdings zumeist bei Neurotikern gesammelten – Erfahrungen sind sie häufig genug. Eine der Gewährspersonen der Henri hat einen Erklärungsversuch für diese ob ihrer Harmlosigkeit unbegreiflichen Erinnerungsbilder gewagt, den ich für ganz zutreffend erklären muß. Er meint, es sei in solchen Fällen die betreffende Szene vielleicht nur unvollständig in der Erinnerung erhalten; gerade darum erscheint sie nichtssagend; in den vergessenen Bestandteilen wäre wohl all das enthalten, was den Eindruck merkenswert machte. Ich kann bestätigen, daß dies sich wirklich so verhält; nur würde ich es vorziehen, anstatt »vergessene Elemente des Erlebnisses« »weggelassene« zu sagen. Es ist mir oftmals gelungen, durch psychoanalytische Behandlung die fehlenden Stücke des Kindererlebnisses aufzudecken und so den Nachweis zu führen, daß der Eindruck, von dem ein Torso in der Erinnerung verblieben war, nach seiner Ergänzung wirklich der Voraussetzung von der Gedächtniserhaltung des Wichtigsten entsprach. Damit ist eine Erklärung für die sonderbare Auswahl, welche das Gedächtnis unter den Elementen eines Erlebnisses trifft, allerdings nicht gegeben; man muß sich erst fragen, warum gerade das Bedeutsame unterdrückt, das Gleichgültige erhalten wird. Zu einer Erklärung gelangt man erst, wenn man tiefer in den Mechanismus solcher Vorgänge eindringt; man bildet sich dann die Vorstellung, daß zwei psychische Kräfte an dem Zustandekommen dieser Erinnerungen beteiligt sind, von denen die eine die Wichtigkeit des Erlebnisses zum Motiv nimmt, es erinnern zu wollen, die andere aber – ein Widerstand – dieser Auszeichnung widerstrebt. Die beiden entgegengesetzt wirkenden Kräfte heben einander nicht auf; es kommt nicht dazu, daß das eine Motiv das andere – mit oder ohne Einbuße – überwältigt, sondern es kommt eine Kompromißwirkung zustande, etwa analog der Bildung einer Resultierenden im Kräfteparallelogramm. Das Kompromiß besteht hier darin, daß zwar nicht das betreffende Erlebnis selbst das Erinnerungsbild abgibt – hierin behält der Widerstand recht –, wohl aber ein anderes psychisches Element, welches mit dem anstößigen durch nahe Assoziationswege verbunden ist; hierin zeigt sich wiederum die Macht des ersten Prinzips, welches bedeutsame Eindrücke durch die Herstellung von reproduzierbaren Erinnerungsbildern fixieren möchte. Der Erfolg des Konflikts ist also der, daß anstatt des ursprünglich berechtigten ein anderes Erinnerungsbild zustande kommt, welches gegen das erstere um ein Stück in der Assoziation *verschoben* ist. Da gerade die wichtigen Bestandteile des Eindrucks diejenigen sind, welche den Anstoß wachgerufen haben, so muß die ersetzende Erinnerung dieses wichtigen Elements bar sein; sie wird darum leicht banal ausfallen. Unverständlich erscheint sie uns, weil wir den Grund ihrer Gedächtniserhaltung gern aus ihrem eigenen Inhalt ersehen möchten, während er doch in der Beziehung dieses Inhalts zu einem anderen, unterdrückten Inhalt ruht. Um mich eines populären Gleichnisses zu bedienen, ein gewisses Erlebnis der Kinderzeit kommt zur Geltung im Gedächtnis, nicht etwa weil es selbst Gold ist, sondern weil es bei Gold gelegen ist.

Unter den vielen möglichen Fällen von Ersetzung eines psychischen Inhalts durch einen anderen, welche alle ihre Verwirklichung in verschiedenen psychologischen Konstellationen finden, ist der Fall, der bei den hier betrachteten Kindererinnerungen vorliegt, daß nämlich die unwesentlichen Bestandteile eines Erlebnisses die wesentlichen des nämlichen Erlebnisses im Gedächtnisse vertreten, offenbar einer der einfachsten. Es ist eine Verschiebung auf der Kontiguitätsassoziation, oder wenn man den ganzen Vorgang ins Auge faßt, eine Verdrängung mit Ersetzung durch etwas Benachbartes (im örtlichen und zeitlichen Zusammenhange). Ich habe einmal Anlaß gehabt, einen sehr ähnlichen Fall von Ersetzung aus der Analyse einer Paranoia mitzuteilen.[1] Ich erzählte von einer halluzinierenden Frau, der ihre Stimmen große Stücke aus der »Heiterethei« von O. Ludwig wiederholten, und zwar gerade die belang- und beziehungslosesten Stellen der Dichtung. Die Analyse wies nach, daß es andere Stellen derselben Geschichte waren, welche die peinlichsten Gedanken in der Kranken wachgerufen hatten. Der peinliche Affekt war ein Motiv zur Abwehr, die Motive zur Fortsetzung dieser Gedanken waren nicht zu unterdrücken, und so ergab sich als Kompromiß, daß die harmlosen Stellen mit pathologischer Stärke und Deutlichkeit in der Erinnerung hervortraten. Der hier erkannte Vorgang: *Konflikt, Verdrängung, Ersetzung unter Kompromißbildung* kehrt bei allen psychoneurotischen Symptomen wieder; er gibt den Schlüssel für das Verständnis der Symptombildung; es ist also nicht ohne Bedeutung, wenn er sich auch im psychischen Leben der normalen Individuen nachweisen läßt; daß er bei normalen Menschen die Auswahl gerade der Kindheitserinnerungen beeinflußt, erscheint als ein neuer Hinweis auf die bereits betonten innigen Beziehungen zwischen dem Seelenleben des Kindes und dem psychischen Material der Neurosen.

Die offenbar sehr bedeutsamen Vorgänge der normalen und pathologischen Abwehr und die Verschiebungserfolge, zu denen sie führen, sind, soweit meine Kenntnis reicht, von den Psychologen noch

---

1 Weitere Bemerkungen über die Abwehr-Neuropsychosen. Neurologisches Zentralblatt, 1896, Nr. 10. (Enthalten in diesem Band der Gesamtausgabe [Band 1 der *Gesammelten Werke*].)

gar nicht studiert worden, und es bleibt noch festzustellen, in welchen Schichten der psychischen Tätigkeit und unter welchen Bedingungen sie sich geltend machen. Der Grund für diese Vernachlässigung mag wohl sein, daß unser psychisches Leben, insofern es Objekt unserer *bewußten* inneren Wahrnehmung wird, von diesen Vorgängen nichts erkennen läßt, es sei denn in solchen Fällen, die wir als »Denkfehler« klassifizieren, oder in manchen auf komischen Effekt angelegten psychischen Operationen. Die Behauptung, daß sich eine psychische Intensität von einer Vorstellung her, die dann verlassen bleibt, auf eine andere verschieben kann, welche nun die psychologische Rolle der ersteren weiterspielt, wirkt auf uns ähnlich befremdend wie etwa gewisse Züge des griechischen Mythus, wenn z. B. Götter einen Menschen mit Schönheit wie mit einer Hülle überkleiden, wo wir nur die Verklärung durch verändertes Mienenspiel kennen.

Weitere Untersuchungen über die gleichgültigen Kindheitserinnerungen haben mich dann belehrt, daß deren Entstehung noch anders zugehen kann und daß sich hinter ihrer scheinbaren Harmlosigkeit eine ungeahnte Fülle von Bedeutung zu verbergen pflegt. Hierfür will ich mich aber nicht auf bloße Behauptung beschränken, sondern ein einzelnes Beispiel breit ausführen, welches mir unter einer größeren Anzahl ähnlicher als das lehrreichste erscheint und das durch seine Zugehörigkeit zu einem nicht oder nur sehr wenig neurotischen Individuum sicherlich an Wertschätzung gewinnt.

Ein achtunddreißigjähriger akademisch gebildeter Mann, der sich trotz seines fernab liegenden Berufs ein Interesse für psychologische Fragen bewahrt hat, seitdem ich ihn durch Psychoanalyse von einer kleinen Phobie befreien konnte, lenkte im Vorjahre meine Aufmerksamkeit auf seine Kindheitserinnerungen, die schon in der Analyse eine gewisse Rolle gespielt hatten. Nachdem er mit der Untersuchung von V. und C. Henri bekannt geworden war, teilte er mir folgende zusammenfassende Darstellung mit:

»Ich verfüge über eine ziemliche Anzahl von Kindheitserinnerungen, die ich mit großer Sicherheit datieren kann. Im Alter von drei Jahren habe ich nämlich meinen kleinen Geburtsort verlassen, um in eine große Stadt zu übersiedeln; meine Erinnerungen spielen nun sämtlich in dem Orte, wo ich geboren bin, fallen also in das zweite bis dritte Jahr. Es sind meist kurze Szenen, aber sehr gut erhalten und mit allen Details der Sinneswahrnehmung gestaltet, so recht im Gegensatz zu meinen Erinnerungsbildern aus reifen Jahren, denen das visuelle Element völlig abgeht. Vom dritten Jahr an werden die Erinnerungen spärlicher und weniger deutlich; es finden sich Lükken vor, die mehr als ein Jahr umfassen müssen; erst vom sechsten oder siebenten Jahre an, glaube ich, wird der Strom der Erinnerung kontinuierlich. Ich teile mir die Erinnerungen bis zum Verlassen meines ersten Aufenthaltes ferner in drei Gruppen. Eine erste Gruppe bilden jene Szenen, von denen mir die Eltern nachträglich wiederholt erzählt haben; ich fühle mich bei diesen nicht sicher, ob ich das Erinnerungsbild von Anfang an gehabt oder ob ich es mir erst nach einer solchen Erzählung geschaffen habe. Ich bemerke, daß es auch Vorfälle gibt, denen bei mir trotz mehrmaliger Schilderung von seiten der Eltern kein Erinnerungsbild entspricht. Auf die zweite Gruppe lege ich mehr Wert; es sind Szenen, von denen mir – soviel ich weiß – nicht erzählt wurde, zum Teil auch nicht erzählt werden konnte, weil ich die mithandelnden Personen: Kinderfrau, Jugendgespielen nicht wiedergesehen habe. Von der dritten Gruppe werde ich später reden. Was den Inhalt dieser Szenen und somit deren Anspruch auf Erhaltung im Gedächtnis betrifft, so möchte ich behaupten, daß ich über diesen Punkt nicht ganz ohne Orientierung bin. Ich kann zwar nicht sagen, daß die erhaltenen Erinnerungen den wichtigsten Begebenheiten jener Zeit entsprechen oder was ich heute so beurteilen würde. Von der Geburt einer Schwester, die zweieinhalb Jahre jünger ist als ich, weiß ich nichts; die Abreise, der Anblick der Eisenbahn, die lange Wagenfahrt vorher haben keine Spur in meinem Gedächtnis hinterlassen. Zwei kleine Vorfälle während der Eisenbahnfahrt habe ich mir dagegen gemerkt; wie Sie sich erinnern, sind diese in der Analyse meiner Phobie vorgekommen. Am meisten Eindruck hätte mir doch eine Verletzung im Gesicht machen müssen, bei der ich viel Blut verlor und vom Chirurgen genäht wurde. Ich kann die Narbe, die von diesem Unfall zeugt, noch heute tasten, aber ich weiß von keiner Erinnerung, die direkt oder indirekt auf dieses Erlebnis hinwiese. Vielleicht war ich übrigens damals noch nicht zwei Jahre.

Demnach verwundere ich mich über die Bilder und Szenen der beiden ersten Gruppen nicht. Es sind allerdings verschobene Erinnerungen, in denen das Wesentliche zumeist ausgeblieben ist; aber in einigen ist es zum mindesten angedeutet, in anderen wird es mir leicht, nach gewissen Fingerzeigen die Ergänzung vorzunehmen, und wenn ich so verfahre, so stellt sich mir ein guter Zusammenhang zwischen den einzelnen Erinnerungsbrocken her, und ich ersehe klar, welches kindliche Interesse gerade diese Vorkommnisse dem Gedächtnis empfohlen hat. Anders steht es aber mit dem Inhalt der dritten Gruppe, deren Besprechung ich mir bisher aufgespart habe. Hier handelt es sich um ein Material – eine längere Szene und mehrere kleine Bilder –, mit dem ich wirklich nichts anzufangen weiß. Die Szene erscheint mir ziemlich gleichgültig, ihre Fixierung unverständlich. Erlauben Sie, daß ich sie Ihnen schildere: Ich sehe eine viereckige, etwas abschüssige Wiese, grün und dicht bewachsen; in dem Grün sehr viele gelbe Blumen, offenbar der gemeine Löwenzahn. Oberhalb der Wiese ein Bauernhaus, vor dessen Tür zwei Frauen stehen, die miteinander angelegentlich plaudern, die Bäuerin im Kopftuch und eine Kinderfrau. Auf der Wiese spielen drei Kinder, eines davon bin ich (zwischen zwei und drei Jahren alt), die beiden anderen mein Vetter, der um ein Jahr älter ist, und meine fast genau gleichaltrige Cousine, seine Schwester. Wir pflücken die gelben Blumen ab und halten jedes eine Anzahl von bereits gepflückten in den Händen. Den schönsten Strauß hat das kleine Mädchen; wir Buben aber fallen wie auf Verabredung über sie her und entreißen ihr die Blumen. Sie läuft weinend die Wiese hinauf und bekommt zum Trost von der Bäuerin ein großes Stück Schwarzbrot. Kaum daß wir das gesehen haben, werfen wir die Blumen weg, eilen auch zum Haus und verlangen gleichfalls Brot. Wir bekommen es auch, die Bäuerin schneidet den Laib mit einem langen Messer. Dieses Brot schmeckt mir in der Erinnerung so köstlich, und damit bricht die Szene ab.

Was an diesem Erlebnis rechtfertigt nun den Gedächtnisaufwand, zu dem es mich veranlaßt hat? Ich habe mir vergeblich den Kopf darüber zerbrochen; liegt der Akzent auf unserer Unliebenswürdigkeit gegen das kleine Mädchen; sollte das Gelb des Löwenzahns, den ich natürlich heute gar nicht schön finde, meinem Auge damals so gefallen haben; oder hat mir nach dem Herumtollen auf der

Wiese das Brot soviel besser geschmeckt als sonst, daß daraus ein unverlöschbarer Eindruck geworden ist? Beziehungen dieser Szene zu dem unschwer zu erratenden Interesse, welches die anderen Kinderszenen zusammenhält, kann ich auch nicht finden. Ich habe überhaupt den Eindruck, als ob es mit dieser Szene nicht richtig zuginge; das Gelb der Blumen sticht aus dem Ensemble gar zu sehr hervor, und der Wohlgeschmack des Brotes erscheint mir auch wie halluzinatorisch übertrieben. Ich muß mich dabei an Bilder erinnern, die ich einmal auf einer parodistischen Ausstellung gesehen habe, in denen gewisse Bestandteile anstatt gemalt plastisch aufgetragen waren, natürlich die unpassendsten, z. B. die Tournüren der gemalten Damen. Können Sie mir nun einen Weg zeigen, der zur Aufklärung oder Deutung dieser überflüssigen Kindheitserinnerung führt?«

Ich hielt es für geraten zu fragen, seit wann ihn diese Kindheitserinnerung beschäftige, ob er meine, daß sie seit der Kindheit periodisch in seinem Gedächtnis wiederkehre, oder ob sie etwa irgendwann später nach einem zu erinnernden Anlaß aufgetaucht sei. Diese Frage war alles, was ich zur Lösung der Aufgabe beizutragen brauchte; das übrige fand mein Partner, der kein Neuling in solchen Arbeiten war, von selbst.

Er antwortete: »Daran habe ich noch nicht gedacht. Nachdem Sie mir diese Frage gestellt haben, wird es mir fast zur Gewißheit, daß diese Kindheitserinnerung mich in jüngeren Jahren gar nicht beschäftigt hat. Ich kann mir aber auch den Anlaß denken, von dem die Erweckung dieser und vieler anderer Erinnerungen an meine ersten Jahre ausgegangen ist. Mit siebzehn Jahren nämlich bin ich zuerst wieder als Gymnasiast zum Ferienaufenthalte in meinen Heimatsort gekommen, und zwar als Gast einer uns seit jener Vorzeit befreundeten Familie. Ich weiß sehr wohl, welche Fülle von Erregungen damals Besitz von mir genommen hat. Aber ich sehe schon, ich muß Ihnen nun ein ganz großes Stück meiner Lebensgeschichte erzählen; es gehört dazu, und Sie haben es durch Ihre Frage heraufbeschworen. Hören Sie also: Ich bin das Kind von ursprünglich wohlhabenden Leuten, die, wie ich glaube, in jenem kleinen Provinznest behaglich genug gelebt hatten. Als ich ungefähr drei Jahre alt war, trat eine Katastrophe in dem Industriezweig ein, mit dem sich der

Vater beschäftigte. Er verlor sein Vermögen, und wir verließen den Ort notgedrungen, um in eine große Stadt zu übersiedeln. Dann kamen lange harte Jahre; ich glaube, sie waren nicht wert, sich etwas daraus zu merken. In der Stadt fühlte ich mich nie recht behaglich; ich meine jetzt, die Sehnsucht nach den schönen Wäldern der Heimat, in denen ich schon, kaum daß ich gehen konnte, dem Vater zu entlaufen pflegte, wie eine von damals erhaltene Erinnerung bezeugt, hat mich nie verlassen. Es waren meine ersten Ferien auf dem Lande, die mit siebzehn Jahren, und ich war, wie gesagt, Gast einer befreundeten Familie, die seit unserer Übersiedlung groß emporgekommen war. Ich hatte Gelegenheit, die Behäbigkeit, die dort herrschte, mit der Lebensweise bei uns zu Hause in der Stadt zu vergleichen. Nun nützt wohl kein Ausweichen mehr; ich muß Ihnen gestehen, daß mich noch etwas anderes mächtig erregte. Ich war siebzehn Jahre alt, und in der gastlichen Familie war eine fünfzehnjährige Tochter, in die ich mich sofort verliebte. Es war meine erste Schwärmerei, intensiv genug, aber vollkommen geheimgehalten. Das Mädchen reiste nach wenigen Tagen ab in das Erziehungsinstitut, aus dem sie gleichfalls auf Ferien gekommen war, und diese Trennung nach so kurzer Bekanntschaft brachte die Sehnsucht erst recht in die Höhe. Ich erging mich viele Stunden lang in einsamen Spaziergängen durch die wiedergefundenen herrlichen Wälder, mit dem Aufbau von Luftschlössern beschäftigt, die seltsamerweise nicht in die Zukunft strebten, sondern die Vergangenheit zu verbessern suchten. Wenn der Zusammenbruch damals nicht eingetreten wäre, wenn ich in der Heimat geblieben wäre, auf dem Lande aufgewachsen, so kräftig geworden wie die jungen Männer des Hauses, die Brüder der Geliebten, und wenn ich dann den Beruf des Vaters fortgesetzt hätte und endlich das Mädchen geheiratet, das ja all die Jahre über mir hätte vertraut werden müssen! Ich zweifelte natürlich keinen Augenblick, daß ich sie unter den Umständen, welche meine Phantasie schuf, ebenso heiß geliebt hätte, wie ich es damals wirklich empfand. Sonderbar, wenn ich sie jetzt gelegentlich sehe – sie hat zufällig hierher geheiratet –, ist sie mir ganz außerordentlich gleichgültig, und doch kann ich mich genau erinnern, wie lange nachher die gelbe Farbe des Kleides, das sie beim ersten Zusammentreffen trug, auf mich gewirkt, wenn ich dieselbe Farbe irgendwo wiedersah.«

Das klingt ja ganz ähnlich wie Ihre eingeschaltete Bemerkung, daß Ihnen der gemeine Löwenzahn heute nicht mehr gefällt. Vermuten Sie nicht eine Beziehung zwischen dem Gelb in der Kleidung des Mädchens und dem so überdeutlichen Gelb der Blumen Ihrer Kinderszene?

»Möglich, doch war es nicht dasselbe Gelb. Das Kleid war eher gelbbraun wie Goldlack. Indes kann ich Ihnen wenigstens eine Zwischenvorstellung, die Ihnen taugen würde, zur Verfügung stellen. Ich habe später in den Alpen gesehen, daß manche Blumen, die in der Ebene lichte Farben haben, auf den Höhen sich in dunklere Nuancen kleiden. Wenn ich nicht sehr irre, gibt es auf den Bergen häufig eine dem Löwenzahn sehr ähnliche Blume, die aber dunkelgelb ist und dann dem Kleid der damals Geliebten in der Farbe ganz entsprechen würde. Ich bin aber noch nicht fertig, ich komme zu einer in der Zeit naheliegenden zweiten Veranlassung, welche meine Kindheitseindrücke in mir aufgerührt hat. Mit siebzehn Jahren hatte ich den Ort wiedergesehen; drei Jahre später war ich in den Ferien auf Besuch bei meinem Onkel, traf also die Kinder wieder, die meine ersten Gespielen gewesen waren, denselben um ein Jahr älteren Vetter und dieselbe mir gleichaltrige Cousine, die in der Kinderszene von der Löwenzahnwiese auftreten. Diese Familie hatte gleichzeitig mit uns meinen Geburtsort verlassen und war in der fernen Stadt wieder zu schönem Wohlstand gekommen.«

Und haben Sie sich da auch wieder verliebt, diesmal in die Cousine, und neue Phantasien gezimmert?

»Nein, diesmal ging es anders. Ich war schon auf der Universität und gehörte ganz den Büchern; für meine Cousine hatte ich nichts übrig. Ich habe damals meines Wissens keine solchen Phantasien gemacht. Aber ich glaube, zwischen meinem Vater und meinem Onkel bestand der Plan, daß ich mein abstruses Studium gegen ein praktisch besser verwertbares vertauschen, nach Beendigung der Studien mich im Wohnort des Onkels niederlassen und meine Cousine zur Frau nehmen sollte. Als man merkte, wie versunken in meine eigenen Absichten ich war, ließ man wohl den Plan wieder fallen; ich meine aber, daß ich ihn sicher erraten habe. Später erst, als junger Gelehrter, als die Not des Lebens mich hart anfaßte und ich so lange auf eine Stellung in dieser Stadt zu warten hatte, mag ich wohl manchmal daran gedacht haben, daß der Vater es eigentlich gut mir mir gemeint, als er durch dieses Heiratsprojekt mich für den Verlust entschädigt wissen wollte, den jene erste Katastrophe mir fürs ganze Leben gebracht.«

In diese Zeit Ihrer schweren Kämpfe ums Brot möchte ich also das Auftauchen der in Rede stehenden Kindheitsszene verlegen, wenn Sie mir noch bestätigen, daß Sie in denselben Jahren die erste Bekanntschaft mit der Alpenwelt geschlossen haben.

»Das ist richtig; Bergtouren waren damals das einzige Vergnügen, das ich mir erlaubte. Aber ich verstehe Sie noch nicht recht.«

Sogleich. Aus Ihrer Kinderszene heben Sie als das intensivste Element hervor, daß Ihnen das Landbrot so ausgezeichnet schmeckt. Merken Sie nicht, daß diese fast halluzinatorisch empfundene Vorstellung mit der Idee Ihrer Phantasie korrespondiert, wenn Sie in der Heimat geblieben wären, jenes Mädchen geheiratet hätten, wie behaglich hätte sich Ihr Leben gestaltet, symbolisch ausgedrückt, wie gut hätte Ihnen Ihr Brot geschmeckt, um das Sie in jener späteren Zeit gekämpft haben? Und das Gelb der Blumen deutet auf dasselbe Mädchen hin. Sie haben übrigens in der Kindheitsszene Elemente, die sich nur auf die zweite Phantasie, wenn Sie die Cousine geheiratet hätten, beziehen lassen. Die Blumen wegwerfen, um ein Brot dafür einzutauschen, scheint mir keine üble Verkleidung für die Absicht, die Ihr Vater mit Ihnen hatte. Sie sollten auf Ihre unpraktischen Ideale verzichten und ein »Brotstudium« ergreifen, nicht wahr?

»So hätte ich also die beiden Reihen von Phantasien, wie sich mein Leben behaglicher hätte gestalten können, miteinander verschmolzen, das ›Gelb‹ und das ›Land‹brot aus der einen, das Wegwerfen der Blumen und die Personen aus der anderen entnommen?«

So ist es; die beiden Phantasien aufeinander projiziert und eine Kindheitserinnerung daraus gemacht. Der Zug mit den Alpenblumen ist dann gleichsam die Marke für die Zeit dieser Fabrikation. Ich kann Ihnen versichern, daß man solche Dinge sehr häufig unbewußt macht, gleichsam dichtet.

»Aber dann wäre es ja keine Kindheitserinnerung, sondern eine in die Kindheit zurückverlegte Phantasie. Mir sagt aber ein Gefühl, daß die Szene echt ist. Wie vereint sich das?«

Für die Angaben unseres Gedächtnisses gibt es überhaupt keine Garantie. Ich will Ihnen aber zugeben, daß die Szene echt ist; dann haben Sie sie aus unzählig viel ähnlichen oder anderen hervorgesucht, weil sie sich vermöge ihres – an sich gleichgültigen – Inhaltes zur Darstellung der beiden Phantasien eignete, die für Sie bedeutsam genug waren. Ich würde eine solche Erinnerung, deren Wert darin besteht, daß sie im Gedächtnisse Eindrücke und Gedanken späterer Zeit vertritt, deren Inhalt mit dem eigenen durch symbolische und ähnliche Beziehungen verknüpft ist, eine *Deckerinnerung* heißen. Jedenfalls werden Sie aufhören, sich über die häufige Wiederkehr dieser Szene in Ihrem Gedächtnis zu verwundern. Man kann sie nicht mehr eine harmlose nennen, wenn sie, wie wir gefunden haben, die wichtigsten Wendungen in Ihrer Lebensgeschichte, den Einfluß der beiden mächtigsten Triebfedern, des Hungers und der Liebe, zu illustrieren bestimmt ist.

»Ja, den Hunger hat sie gut dargestellt; aber die Liebe?«

In dem Gelb der Blumen, meine ich. Ich kann übrigens nicht leugnen, daß die Darstellung der Liebe in dieser Ihrer Kindheitsszene hinter meinen sonstigen Erfahrungen weit zurückbleibt.

»Nein, keineswegs. Die Darstellung der Liebe ist ja die Hauptsache daran. Jetzt verstehe ich erst! Denken Sie doch: einem Mädchen die Blume wegnehmen, das heißt ja: deflorieren. Welch ein Gegensatz zwischen der Frechheit dieser Phantasie und meiner Schüchternheit bei der ersten, meiner Gleichgültigkeit bei der zweiten Gelegenheit.«

Ich kann Sie versichern, daß derartige kühne Phantasien die regelmäßige Ergänzung zur juvenilen Schüchternheit bilden.

»Aber dann wäre es nicht eine bewußte Phantasie, die ich erinnern kann, sondern eine unbewußte, die sich in diese Kindheitserinnerungen verwandelt?«

Unbewußte Gedanken, welche die bewußten fortsetzen. Sie denken sich: wenn ich die oder die geheiratet hätte, und dahinter entsteht der Antrieb, sich dieses Heiraten vorzustellen.

»Ich kann es ja selbst fortsetzen. Das Verlockendste an dem ganzen Thema ist für den nichtsnutzigen Jüngling die Vorstellung der Brautnacht; was weiß er von dem, was nachkommt. Diese Vorstellung wagt sich aber nicht ans Licht, die herrschende Stimmung der

Bescheidenheit und des Respekts gegen die Mädchen erhält sie unterdrückt. So bleibt sie unbewußt...«
Und *weicht* in eine Kindheitserinnerung *aus*. Sie haben recht, gerade das Grobsinnliche an der Phantasie ist der Grund, daß sie sich nicht zu einer bewußten Phantasie entwickelt, sondern zufrieden sein muß, in eine Kindheitsszene als Anspielung in *verblümter* Form Aufnahme zu finden.
»Warum aber gerade in eine Kindheitsszene, möchte ich fragen?«
Vielleicht gerade der Harmlosigkeit zuliebe. Können Sie sich einen stärkeren Gegensatz zu so argen sexuellen Aggressionsvorsätzen denken als Kindertreiben? Übrigens sind für das Ausweichen von verdrängten Gedanken und Wünschen in die Kindheitserinnerungen allgemeinere Gründe maßgebend, denn Sie können dieses Verhalten bei hysterischen Personen ganz regelmäßig nachweisen. Auch scheint es, daß das Erinnern von Längstvergangenem an und für sich durch ein Lustmotiv erleichtert wird. *»Forsan et haec olim meminisse juvabit.«*[1]
»Wenn dem so ist, so habe ich alles Zutrauen zur Echtheit dieser Löwenzahnszene verloren. Ich halte mir vor, daß in mir auf die zwei erwähnten Veranlassungen hin, von sehr greifbaren realen Motiven unterstützt, der Gedanke auftaucht: Wenn du dieses oder jenes Mädchen geheiratet hättest, wäre dein Leben viel angenehmer geworden. Daß die sinnliche Strömung in mir den Gedanken des Bedingungssatzes in solchen Vorstellungen wiederholt, welche ihr Befriedigung bieten können; daß diese zweite Fassung desselben Gedankens infolge ihrer Unverträglichkeit mit der herrschenden sexuellen Disposition unbewußt bleibt, aber gerade dadurch in den Stand gesetzt ist, im psychischen Leben fortzudauern, wenn die bewußte Fassung längst durch die veränderte Realität beseitigt ist; daß der unbewußt gebliebene Satz nach einem geltenden Gesetz, wie Sie sagen, bestrebt ist, sich in eine Kindheitsszene umzuwandeln, welche ihrer Harmlosigkeit wegen bewußt werden darf; daß er zu diesem Zweck eine neue Umgestaltung erfahren muß oder vielmehr zwei, eine, die dem Vordersatz das Anstößige benimmt, indem sie es

---

1 [»Vielleicht wird es uns dereinst freuen, daran ⟨sogar an die Gefahren⟩ zurückzudenken.« Vergil, *Aeneis* I, 203.]

vorbildlich ausdrückt, eine zweite, die den Nachsatz in eine Form preßt, welche der visuellen Darstellung fähig ist, wozu die Mittelvorstellung Brot–Brotstudium verwendet wird. Ich sehe ein, daß ich durch die Produktion einer solchen Phantasie gleichsam eine Erfüllung der beiden unterdrückten Wünsche – nach dem Deflorieren und nach dem materiellen Wohlbehagen – hergestellt habe. Aber nachdem ich mir von den Motiven, die zur Entstehung der Löwenzahnphantasie führten, so vollständig Rechenschaft geben kann, muß ich annehmen, daß es sich hier um etwas handelt, was sich überhaupt niemals ereignet hat, sondern unrechtmäßig unter meine Kindheitserinnerungen eingeschmuggelt worden ist.«

Nun muß ich aber den Verteidiger der Echtheit spielen. Sie gehen zu weit. Sie haben sich von mir sagen lassen, daß jede solche unterdrückte Phantasie die Tendenz hat, in eine Kindheitsszene auszuweichen; nun nehmen Sie hinzu, daß dies nicht gelingt, wenn nicht eine solche Erinnerungsspur da ist, deren Inhalt mit dem der Phantasie Berührungspunkte bietet, die ihr gleichsam entgegenkommt. Ist erst ein solcher Berührungspunkt gefunden – hier ist es das Deflorieren, die Blume wegnehmen –, so wird der übrige Inhalt der Phantasie durch alle zulässigen Zwischenvorstellungen (denken Sie an das Brot!) so umgemodelt, bis sich neue Berührungspunkte mit dem Inhalt der Kinderszene ergeben haben. Sehr wohl möglich, daß bei diesem Prozeß auch die Kinderszene selbst Veränderungen unterliegt; ich halte es für sicher, daß auf diesem Wege auch Erinnerungsfälschungen zustande gebracht werden. In Ihrem Falle scheint die Kindheitsszene nur ziseliert worden zu sein; denken Sie an die übermäßige Hervorhebung des Gelb und an den übertriebenen Wohlgeschmack des Brotes. Das Rohmaterial war aber brauchbar. Wäre es so nicht gewesen, so hätte sich diese Erinnerung eben nicht aus allen anderen zum Bewußtsein erheben können. Sie hätten keine solche Szene als Kindheitserinnerung bekommen, oder vielleicht eine andere, denn Sie wissen ja, wie leicht es unserem Witz wird, Verbindungsbrücken von überallher überallhin zu schlagen. Für die Echtheit Ihrer Löwenzahnerinnerung spricht übrigens, außer Ihrem Gefühl, das ich nicht unterschätzen möchte, noch etwas anderes. Sie enthält Züge, die nicht auflösbar durch Ihre Mitteilungen sind, auch zu den aus der Phantasie stammenden Bedeutungen nicht passen. So z. B. wenn der Vetter Ihnen mithilft, die Kleine der Blumen zu berauben. Könnten Sie mit einer solchen Hilfeleistung beim Deflorieren einen Sinn verbinden? Oder mit der Gruppe der Bäuerin und der Kinderfrau oben vor dem Haus?

»Ich glaube nicht.«

Die Phantasie deckt sich also nicht ganz mit der Kindheitsszene, sie lehnt sich nur in einigen Punkten an sie an. Das spricht für die Echtheit der Kindheitserinnerung.

»Glauben Sie, daß eine solche Deutung von scheinbar harmlosen Kindheitserinnerungen oftmals am Platze ist?«

Nach meinen Erfahrungen sehr oft. Wollen Sie es zum Scherz versuchen, ob die beiden Beispiele, welche die Henri mitteilen, die Deutung als Deckerinnerungen für spätere Erlebnisse und Wünsche zulassen? Ich meine die Erinnerung an den gedeckten Tisch, auf dem eine Schale mit Eis steht, was mit dem Tod der Großmutter zusammenhängen soll, und die zweite von dem Ast, den sich das Kind auf einem Spaziergang abbricht, wobei ihm ein anderer Hilfe leistet?

Er besann sich eine Weile: »Mit der ersten weiß ich nichts anzufangen. Es ist sehr wahrscheinlich eine Verschiebung im Spiele, aber die Mittelglieder sind nicht zu erraten. Für die zweite getraute ich mich einer Deutung, wenn die Person, die sie als ihre eigene mitteilt, kein Franzose wäre.«

Jetzt verstehe ich Sie nicht. Was soll das ändern?

»Es ändert viel, da der sprachliche Ausdruck wahrscheinlich die Verbindung zwischen der Deckerinnerung und der gedeckten vermittelt. Im Deutschen ist ›sich einen ausreißen‹ eine recht bekannte, vulgäre Anspielung auf die Onanie. Die Szene würde die Erinnerung an eine später erfolgte Verführung zur Onanie in die frühe Kindheit zurückverlegen, da ihm doch jemand dazu verhilft. Es stimmt aber doch nicht, weil in der Kindheitsszene so viel andere Personen mit dabei sind.«

Während die Verleitung zur Onanie in der Einsamkeit und im geheimen stattgefunden haben muß. Gerade dieser Gegensatz spricht mir für Ihre Auffassung; er dient wiederum dazu, die Szene harmlos zu machen. Wissen Sie, was es bedeutet, wenn wir im Traum »viele fremde Leute« sehen, wie es in den Nacktheitsträumen so häufig vorkommt, bei denen wir uns so entsetzlich geniert fühlen? Nichts anderes als – Geheimnis, was also durch seinen Gegensatz ausgedrückt ist. Übrigens bleibt die Deutung ein Scherz; wir wissen ja wirklich nicht, ob der Franzose in den Worten *casser une branche d'un arbre* oder in einer etwas rektifizierten Phrase eine Anspielung an die Onanie erkennen wird.

Der Begriff einer *Deckerinnerung* als einer solchen, die ihren Gedächtniswert nicht dem eigenen Inhalt, sondern dessen Beziehung zu einem anderen, unterdrückten Inhalt verdankt, dürfte aus der vorstehenden, möglichst getreu mitgeteilten Analyse einigermaßen klargeworden sein. Je nach der Art dieser Beziehung kann man verschiedene Klassen von Deckerinnerungen unterscheiden. Von zwei dieser Klassen haben wir unter unseren sogenannten frühesten Kindheitserinnerungen Beispiele gefunden, wenn wir nämlich die unvollständige und durch diese Unvollständigkeit harmlose Infantilszene mit unter den Begriff der Deckerinnerung fallenlassen. Es ist vorauszusehen, daß sich Deckerinnerungen auch aus den Gedächtnisresten der späteren Lebenszeiten bilden werden. Wer den Hauptcharakter derselben, große Gedächtnisfähigkeit bei völlig gleichgültigem Inhalt, im Auge behält, wird leicht Beispiele dieser Art zahlreich in seinem Gedächtnis nachweisen können. Ein Teil dieser Deckerinnerungen mit später erlebtem Inhalt verdankt seine Bedeutung der Beziehung zu unterdrückt gebliebenen Erlebnissen der frühen Jugend, also umgekehrt wie in dem von mir analysierten Falle, in dem eine Kindererinnerung durch später Erlebtes gerechtfertigt wird. Je nachdem das eine oder das andere zeitliche Verhältnis zwischen Deckendem und Gedecktem statthat, kann man die Deckerinnerung als eine *rückläufige* oder als eine *vorgreifende* bezeichnen. Nach einer anderen Beziehung unterscheidet man positive und negative Deckerinnerungen (oder *Trutz*erinnerungen), deren Inhalt im Verhältnis des Gegensatzes zum unterdrückten Inhalt steht. Das Thema verdiente wohl eine gründlichere Würdigung; ich begnüge mich hier damit, aufmerksam zu machen, welche komplizierten – übrigens der hysterischen Symptombildung durchaus analogen – Vorgänge an der Herstellung unseres Erinnerungsschatzes beteiligt sind.
Unsere frühesten Kindheitserinnerungen werden immer Gegen-

stand eines besonderen Interesses sein, weil hier das eingangs erwähnte Problem, wie es denn kommt, daß die für alle Zukunft wirksamsten Eindrücke kein Erinnerungsbild zu hinterlassen brauchen, zum Nachdenken über die Entstehung der bewußten Erinnerungen überhaupt auffordert. Man wird sicherlich zunächst geneigt sein, die eben behandelten Deckerinnerungen unter den Kindheitsgedächtnisresten als heterogene Bestandteile auszuscheiden, und sich von den übrigen Bildern die einfache Vorstellung zu machen, daß sie gleichzeitig mit dem Erleben als unmittelbare Folge der Einwirkung des Erlebten entstehen und von da an nach den bekannten Reproduktionsgesetzen zeitweise wiederkehren. Die feinere Beobachtung ergibt aber einzelne Züge, welche schlecht zu dieser Auffassung stimmen. So vor allem den folgenden: In den meisten bedeutsamen und sonst einwandfreien Kinderszenen sieht man in der Erinnerung die eigene Person als Kind, von dem man weiß, daß man selbst dieses Kind ist; man sieht dieses Kind aber, wie es ein Beobachter außerhalb der Szene sehen würde. Die Henri versäumen nicht aufmerksam zu machen, daß viele ihrer Gewährspersonen diese Eigentümlichkeit der Kinderszenen ausdrücklich hervorheben. Nun ist es klar, daß dieses Erinnerungsbild nicht die getreue Wiederholung des damals empfangenen Eindrucks sein kann. Man befand sich ja mitten in der Situation und achtete nicht auf sich, sondern auf die Außenwelt.

Wo immer in einer Erinnerung die eigene Person so als ein Objekt unter anderen Objekten auftritt, darf man diese Gegenüberstellung des handelnden und des erinnernden Ichs als einen Beweis dafür in Anspruch nehmen, daß der ursprüngliche Eindruck eine Überarbeitung erfahren hat. Es sieht aus, als wäre hier eine Kindheit-Erinnerungsspur zu einer späteren (Erweckungs-)Zeit ins Plastische und Visuelle rückübersetzt worden. Von einer Reproduktion aber des ursprünglichen Eindrucks ist uns niemals etwas zum Bewußtsein gekommen.

Noch mehr Beweiskraft zugunsten dieser anderen Auffassung der Kindheitsszenen muß man einer zweiten Tatsache zugestehen. Unter den mit gleicher Bestimmtheit und Deutlichkeit auftretenden Infantilerinnerungen an wichtige Erlebnisse gibt es eine Anzahl von Szenen, die sich bei Anwendung von Kontrolle – etwa durch die

Erinnerung Erwachsener – als gefälschte herausstellen. Nicht daß sie frei erfunden wären; sie sind insofern falsch, als sie eine Situation an einen Ort verlegen, wo sie nicht stattgefunden hat (wie auch in einem von den Henri mitgeteilten Beispiel), Personen miteinander verschmelzen oder vertauschen oder sich überhaupt als Zusammensetzung von zwei gesonderten Erlebnissen zu erkennen geben. Einfache Untreue der Erinnerung spielt gerade hier, bei der großen sinnlichen Intensität der Bilder und bei der Leistungsfähigkeit der jugendlichen Gedächtnisfunktion, keine erhebliche Rolle; eingehende Untersuchung zeigt vielmehr, daß solche Erinnerungsfälschungen tendenziöse sind, d. h. daß sie den Zwecken der Verdrängung und Ersetzung von anstößigen oder unliebsamen Eindrücken dienen. Auch diese gefälschten Erinnerungen müssen also zu einer Lebenszeit entstanden sein, da solche Konflikte und Antriebe zur Verdrängung sich bereits im Seelenleben geltend machen konnten, also lange Zeit nach der, welche sie in ihrem Inhalt erinnern. Auch hier ist aber die gefälschte Erinnerung die erste, von der wir wissen; das Material an Erinnerungsspuren, aus dem sie geschmiedet wurde, blieb uns in seiner ursprünglichen Form unbekannt.

Durch solche Einsicht verringert sich in unserer Schätzung der Abstand zwischen den Deckerinnerungen und den übrigen Erinnerungen aus der Kindheit. Vielleicht ist es überhaupt zweifelhaft, ob wir bewußte Erinnerungen *aus* der Kindheit haben oder nicht vielmehr bloß *an* die Kindheit. Unsere Kindheitserinnerungen zeigen uns die ersten Lebensjahre, nicht wie sie waren, sondern wie sie späteren Erweckungszeiten erschienen sind. Zu diesen Zeiten der Erweckung sind die Kindheitserinnerungen nicht, wie man zu sagen gewohnt ist, *aufgetaucht*, sondern sie sind damals *gebildet* worden, und eine Reihe von Motiven, denen die Absicht historischer Treue fernliegt, hat diese Bildung sowie die Auswahl der Erinnerungen mitbeeinflußt.

ZUR SEXUELLEN AUFKLÄRUNG DER KINDER

(1907)

ZUR SEXUELLEN AUFKLÄRUNG DER KINDER

Offener Brief an Dr. M. Fürst

Geehrter Herr Kollege!
Wenn Sie von mir eine Äußerung über die »sexuelle Aufklärung der Kinder« verlangen, so nehme ich an, daß Sie keine regelrechte und förmliche Abhandlung mit Berücksichtigung der ganzen, über Gebühr angewachsenen Literatur erwarten, sondern das selbständige Urteil eines einzelnen Arztes hören wollen, dem seine Berufstätigkeit besondere Anregung geboten hat, sich mit den sexuellen Problemen zu beschäftigen. Ich weiß, daß Sie meine wissenschaftlichen Bemühungen mit Interesse verfolgt haben und mich nicht wie viele andere Kollegen darum ohne Prüfung abweisen, weil ich in der psychosexuellen Konstitution und in Schädlichkeiten des Sexuallebens die wichtigsten Ursachen der so häufigen neurotischen Erkrankungen erblicke; auch meine »Drei Abhandlungen zur Sexualtheorie«, in denen ich die Zusammensetzung des Geschlechtstriebes und die Störungen in der Entwicklung des Geschlechtstriebes zur Sexualfunktion darlege, haben kürzlich eine freundliche Erwähnung in Ihrer Zeitschrift gefunden.
Ich soll Ihnen also die Fragen beantworten, ob man den Kindern überhaupt Aufklärungen über die Tatsachen des Geschlechtslebens geben darf, in welchem Alter dies geschehen kann und in welcher Weise. Nehmen Sie nun gleich zu Anfang mein Geständnis entgegen, daß ich eine Diskussion über den zweiten und dritten Punkt ganz begreiflich finde, daß es aber für meine Einsicht völlig unfaßbar ist, wie der erste dieser Fragepunkte ein Gegenstand von Meinungsverschiedenheit werden konnte. Was will man denn erreichen, wenn man den Kindern – oder sagen wir der Jugend – solche Aufklärungen über das menschliche Geschlechtsleben vorenthält? Fürchtet man, ihr Interesse für diese Dinge vorzeitig zu wecken, ehe es sich in ihnen selbst regt? Hofft man, durch solche Verhehlung den Geschlechtstrieb überhaupt zurückzuhalten bis zur Zeit, da er in die ihm von der bürgerlichen Gesellschaftsordnung allein geöffneten Bahnen einlenken kann? Meint man, daß die Kinder für die Tatsa-

chen und Rätsel des Geschlechtslebens kein Interesse oder kein Verständnis zeigten, wenn sie nicht von fremder Seite darauf hingewiesen würden? Hält man es für möglich, daß ihnen die Kenntnis, welche man ihnen versagt, nicht auf anderen Wegen zugeführt wird? Oder verfolgt man wirklich und ernsthaft die Absicht, daß sie späterhin alles Geschlechtliche als etwas Niedriges und Verabscheuenswertes beurteilen mögen, von dem ihre Eltern und Erzieher sie so lange als möglich fernhalten wollten?

Ich weiß wirklich nicht, in welcher dieser Absichten ich das Motiv für das tatsächlich geübte Verstecken des Sexuellen vor den Kindern erblicken soll; ich weiß nur, daß sie alle gleich töricht sind und daß es mir schwerfällt, sie durch ernsthafte Widerlegungen auszuzeichnen. Ich erinnere mich aber, daß ich in den Familienbriefen des großen Denkers und Menschenfreundes Multatuli einige Zeilen gefunden habe, die als Antwort mehr als bloß genügen können.[1]

»Im allgemeinen werden einzelne Dinge nach meinem Gefühl zu sehr umschleiert. Man tut recht, die Phantasie der Kinder reinzuhalten, aber diese Reinheit wird nicht bewahrt durch Unwissenheit. Ich glaube eher, daß das Verdecken von etwas den Knaben und das Mädchen um so mehr die Wahrheit argwöhnen läßt. Man spürt aus Neugierde Dingen nach, die uns, wenn sie uns ohne viel Umstände mitgeteilt würden, wenig oder kein Interesse einflößen würden. Wäre diese Unwissenheit noch zu bewahren, so könnte ich mich damit versöhnen, aber das ist nicht möglich; das Kind kommt in Berührung mit anderen Kindern, es bekommt Bücher in die Hände, die es zum Nachdenken bringen; gerade die Geheimtuerei, womit das dennoch Begriffene von den Eltern behandelt wird, erhöht das Verlangen, mehr zu wissen. Dieses Verlangen, nur zum Teil, nur heimlich befriedigt, erhitzt das Herz und verdirbt die Phantasie, das Kind sündigt bereits, und die Eltern meinen noch, daß es nicht weiß, was Sünde ist.«

Ich weiß nicht, was man hierüber Besseres sagen könnte, aber vielleicht läßt sich einiges hinzufügen. Es ist gewiß nichts anderes als die gewohnte Prüderie und das eigene schlechte Gewissen in Sachen der

---

1 Multatuli-Briefe, herausgegeben von W. Spohr, [2 Bde., Frankfurt] 1906, Bd. I, S. 26.

Sexualität, was die Erwachsenen zur »Geheimtuerei« vor den Kindern veranlaßt; aber möglicherweise wirkt da auch ein Stück theoretischer Unwissenheit mit, dem man durch die Aufklärung der Erwachsenen entgegentreten kann. Man meint nämlich, daß den Kindern der Geschlechtstrieb fehle und sich erst zur Pubertätszeit mit der Reife der Geschlechtsorgane bei ihnen einstelle. Das ist ein grober, für die Kenntnis wie für die Praxis folgenschwerer Irrtum. Es ist so leicht, ihn durch die Beobachtung zu korrigieren, daß man sich verwundern muß, wie er überhaupt entstehen konnte. In Wahrheit bringt das Neugeborene Sexualität mit auf die Welt, gewisse Sexualempfindungen begleiten seine Entwicklung durch die Säuglings- und Kinderzeiten, und die wenigsten Kinder dürften sexuellen Betätigungen und Empfindungen vor ihrer Pubertät entgehen. Wer die ausführliche Darlegung dieser Behauptungen kennenlernen will, möge sie in meinen erwähnten »Drei Abhandlungen zur Sexualtheorie, Wien 1905« aufsuchen. Er wird dort erfahren, daß die eigentlichen Reproduktionsorgane nicht die einzigen Körperteile sind, welche sexuelle Lustempfindungen vermitteln, und daß die Natur es recht zwingend so eingerichtet hat, daß selbst Reizungen der Genitalien während der Kinderzeit unvermeidlich sind. Man bezeichnet diese Lebenszeit, in welcher durch die Erregung verschiedener Hautstellen (*erogener* Zonen), durch die Betätigung gewisser biologischer Triebe und als Miterregung bei vielen affektiven Zuständen ein gewisser Betrag von sicher sexueller Lust erzeugt wird, mit einem von Havelock Ellis eingeführten Ausdrucke als die Periode des *Autoerotismus*. Die Pubertät leistet nichts anderes, als daß sie unter allen lusterzeugenden Zonen und Quellen den Genitalien das Primat verschafft und dadurch die Erotik in den Dienst der Fortpflanzungsfunktion zwingt, ein Prozeß, der natürlich gewissen Hemmungen unterliegen kann und sich bei vielen Personen, den späteren Perversen und Neurotikern, nur in unvollkommener Weise vollzieht. Anderseits ist das Kind der meisten psychischen Leistungen des Liebeslebens (der Zärtlichkeit, der Hingebung, der Eifersucht) lange vor erreichter Pubertät fähig, und oft genug stellt sich auch der Durchbruch dieser seelischen Zustände zu den körperlichen Empfindungen der Sexualerregung her, so daß das Kind über die Zusammengehörigkeit der beiden nicht im Zweifel bleiben kann. Kurz gesagt, das Kind ist lange vor der Pubertät ein bis auf die Fortpflanzungsfähigkeit fertiges Liebeswesen, und man darf es aussprechen, daß man ihm mit jener »Geheimtuerei« nur die Fähigkeit zur intellektuellen Bewältigung solcher Leistungen vorenthält, für die es psychisch vorbereitet und somatisch eingestellt ist.

Das intellektuelle Interesse des Kindes für die Rätsel des Geschlechtslebens, seine sexuelle Wißbegierde äußert sich denn auch zu einer unvermutet frühen Lebenszeit. Es muß wohl so zugehen, daß die Eltern für dieses Interesse des Kindes wie mit Blindheit geschlagen sind oder sich sofort bemühen, es zu ersticken, falls sie es nicht übersehen können, wenn Beobachtungen wie die nun mitzuteilende nicht häufiger gemacht werden können. Ich kenne da einen prächtigen Jungen von jetzt vier Jahren, dessen verständige Eltern darauf verzichten, ein Stück der Entwicklung des Kindes gewaltsam zu unterdrücken. Der kleine Hans, der sicherlich keinem verführenden Einflusse von seiten einer Warteperson unterlegen ist, zeigt schon seit einiger Zeit das lebhafteste Interesse für jenes Stück seines Körpers, das er als »Wiwimacher« zu bezeichnen pflegt. Schon mit drei Jahren hat er die Mutter gefragt: »Mama, hast du auch einen Wiwimacher?« Worauf die Mama geantwortet: »Natürlich, was hast du denn gedacht?« Dieselbe Frage hat er zu wiederholten Malen an den Vater gerichtet. Im selben Alter zuerst in einen Stall geführt, hat er beim Melken einer Kuh zugeschaut und dann verwundert ausgerufen: »Schau, aus dem Wiwimacher kommt Milch.« Mit dreidreiviertel Jahren ist er auf dem Wege, durch seine Beobachtungen selbständig richtige Kategorien zu entdecken. Er sieht, wie aus einer Lokomotive Wasser ausgelassen wird, und sagt: »Schau, die Lokomotive macht Wiwi; wo hat sie denn den Wiwimacher?« Später setzt er nachdenklich hinzu: »Ein Hund und ein Pferd hat einen Wiwimacher; ein Tisch und ein Sessel nicht.« Vor kurzem hat er zugesehen, wie man sein einwöchiges Schwesterchen badet, und dabei bemerkt: »Aber ihr Wiwimacher ist noch klein. Wenn sie wächst, wird er schon größer werden.« (Dieselbe Stellung zum Problem der Geschlechtsunterschiede ist mir auch von anderen Knaben gleichen Alters berichtet worden.) Ich möchte ausdrücklich bestreiten, daß der kleine Hans ein sinnliches oder gar pathologisch veranlagtes Kind sei; ich meine nur, er ist nicht eingeschüchtert worden, wird nicht vom Schuldbewußtsein geplagt und gibt darum arglos von seinen Denkvorgängen Kunde.[1]

Das zweite Problem, welches dem Denken der Kinder – wohl erst in etwas späteren Jahren – Aufgaben stellt, ist die Frage nach der Herkunft der Kinder, die zumeist an die unerwünschte Erscheinung eines neuen kleinen Bruders oder Schwesterchens anknüpft. Es ist dies die älteste und die brennendste Frage der jungen Menschheit; wer Mythen und Überlieferungen zu deuten versteht, kann sie aus dem Rätsel heraushören, welches die thebaische Sphinx dem Ödipus aufgibt. Durch die in der Kinderstube gebräuchlichen Antworten wird der ehrliche Forschertrieb des Kindes verletzt, meist auch dessen Vertrauen zu seinen Eltern zum erstenmal erschüttert; von da an beginnt es zumeist den Erwachsenen zu mißtrauen und seine intimsten Interessen vor ihnen geheimzuhalten. Ein kleines Dokument mag zeigen, wie quälend sich gerade diese Wißbegierde oft bei älteren Kindern gestaltet, der Brief eines mutterlosen, elfeinhalbjährigen Mädchens, welches über das Problem mit seiner jüngeren Schwester spekuliert hat:

»Liebe Tante Mali!

Ich bitte Dich, sei so gut und schreibe mir, wie Du die Christel oder den Paul bekommen hast. Du mußt es ja wissen, da Du verheiratet bist. Wir haben uns nämlich gestern abend darüber gestritten und wünschen die Wahrheit zu wissen. Wir haben ja sonst niemanden, den wir fragen könnten. Wann kommt Ihr denn nach Salzburg? Weißt Du, liebe Tante Mali, wir können halt nicht begreifen, wie der Storch die Kinder bringt. Trudel hat geglaubt, der Storch bringt sie im Hemde. Dann möchten wir auch wissen, ob er sie aus dem Teiche nimmt und warum man die Kinder nie im Teich sieht. Ich bitte Dich, sag' mir auch, wieso man vorher weiß, wann man sie bekommt. Schreibe mir darüber ausführlich Antwort.

Mit tausend Grüßen und Küssen von uns allen

Deine neugierige Lilli.«

---

1 [*Zusatz 1924:*] Über die spätere neurotische Erkrankung und Herstellung dieses »kleinen Hans« siehe »Analyse der Phobie eines fünfjährigen Knaben« im VII. Band dieser Gesamtausgabe [der *Gesammelten Werke*].

Ich glaube nicht, daß dieser rührende Brief den beiden Schwestern die geforderte Aufklärung brachte. Die Schreiberin ist später an jener Neurose erkrankt, die sich von unbeantworteten unbewußten Fragen ableitet, an Zwangsgrübelsucht.[1]

Ich glaube nicht, daß nur ein einziger Grund vorliegt, um Kindern die Aufklärung, nach der ihre Wißbegierde verlangt, zu verweigern. Freilich, wenn es die Absicht der Erzieher ist, die Fähigkeit der Kinder zum selbständigen Denken möglichst frühzeitig zugunsten der so hochgeschätzten »Bravheit« zu ersticken, so kann dies nicht besser als durch Irreführung auf sexuellem und durch Einschüchterung auf religiösem Gebiete versucht werden. Die stärkeren Naturen widerstehen allerdings diesen Beeinflussungen und werden zu Rebellen gegen die elterliche und später gegen jede andere Autorität. Erhalten die Kinder jene Aufklärungen nicht, um die sie sich an Ältere gewendet haben, so quälen sie sich im geheimen mit dem Problem weiter und bringen Lösungsversuche zustande, in denen das geahnte Richtige auf die merkwürdigste Weise mit grotesk Unrichtigem vermengt ist, oder sie flüstern einander Mitteilungen zu, in welchen zufolge des Schuldbewußtseins der jugendlichen Forscher dem Sexualleben das Gepräge des Gräßlichen und Ekelhaften aufgedrückt wird. Diese kindlichen Sexualtheorien wären wohl einer Sammlung und Würdigung wert. Meist haben die Kinder von diesem Zeitpunkte an die einzig richtige Stellung zu den Fragen des Geschlechts verloren, und viele unter ihnen finden sie überhaupt nicht wieder.

Es scheint, daß die überwiegende Mehrheit männlicher und weiblicher Autoren, welche über die sexuelle Aufklärung der Jugend geschrieben haben, sich im bejahenden Sinn entscheiden. Aber aus dem Ungeschick der meisten Vorschläge, wann und wie dies zu geschehen hat, ist man versucht zu schließen, daß dies Zugeständnis den Betreffenden nicht leicht geworden ist. Ganz vereinzelt steht nach meiner Literaturkenntnis jener reizende Aufklärungsbrief da, den eine Frau Emma Eckstein an ihren etwa zehnjährigen Sohn zu schreiben vorgibt.[2] Wie man es sonst macht, daß man den Kindern

1 Die Grübelsucht machte aber nach Jahren einer Dementia praecox Platz.

2 E. Eckstein, Die Sexualfrage in der Erziehung des Kindes. [Leipzig] 1904.

die längste Zeit jede Kenntnis des Sexuellen vorenthält, um ihnen dann einmal in schwülstig-feierlichen Worten eine auch nur halb aufrichtige Eröffnung zu schenken, die überdies meist zu spät kommt, das ist offenbar nicht ganz das Richtige. Die meisten Beantwortungen der Frage »Wie sag's ich meinem Kinde?« machen mir wenigstens einen so kläglichen Eindruck, daß ich vorziehen würde, wenn die Eltern sich überhaupt nicht um die Aufklärung bekümmern würden. Es kommt vielmehr darauf an, daß die Kinder niemals auf die Idee geraten, man wolle ihnen aus den Tatsachen des Geschlechtslebens eher ein Geheimnis machen als aus anderem, was ihrem Verständnisse noch nicht zugänglich ist. Und um dies zu erzielen, ist es erforderlich, daß das Geschlechtliche von allem Anfange an gleich wie anderes Wissenswerte behandelt werde. Vor allem ist es Aufgabe der Schule, der Erwähnung des Geschlechtlichen nicht auszuweichen, die großen Tatsachen der Fortpflanzung beim Unterrichte über die Tierwelt in ihre Bedeutung einzusetzen und sogleich zu betonen, daß der Mensch alles Wesentliche seiner Organisation mit den höheren Tieren teilt. Wenn dann das Haus nicht auf Denkabschreckung hinarbeitet, wird es sich wohl öfter ereignen, was ich einmal in einer Kinderstube belauscht habe, daß ein Knabe seinem jüngeren Schwesterchen vorhält: »Aber wie kannst du denken, daß der Storch die kleinen Kinder bringt. Du weißt ja, daß der Mensch ein Säugetier ist, und glaubst du denn, daß der Storch den *anderen* Säugetieren die Jungen bringt?« Die Neugierde des Kindes wird dann nie einen hohen Grad erreichen, wenn sie auf jeder Stufe des Lernens die entsprechende Befriedigung findet. Die Aufklärung über die spezifisch menschlichen Verhältnisse des Geschlechtslebens und der Hinweis auf die soziale Bedeutung desselben hätte sich dann am Schlusse des Volksschulunterrichtes (und vor Eintritt in die Mittelschule), also nicht nach dem Alter von zehn Jahren, anzuschließen. Endlich würde sich der Zeitpunkt der Konfirmation wie kein anderer dazu eignen, dem bereits über alles Körperliche aufgeklärten Kinde die sittlichen Verpflichtungen, welche an die Ausübung des Triebes geknüpft sind, darzulegen. Eine solche stufenweise fortschreitende und eigentlich zu keiner Zeit unterbrochene Aufklärung über das Geschlechtsleben, zu welcher die Schule die Initiative ergreift, erscheint mir als die einzige, welche der Entwicklung des Kindes Rechnung trägt und darum die vorhandene Gefahr glücklich vermeidet.

Ich halte es für den bedeutsamsten Fortschritt in der Kindererziehung, daß der französische Staat an Stelle des Katechismus ein Elementarbuch eingeführt hat, welches dem Kinde die ersten Kenntnisse seiner staatsbürgerlichen Stellung und der ihm dereinst zufallenden ethischen Pflichten vermittelt. Aber dieser Elementarunterricht ist in arger Weise unvollständig, wenn er nicht das Gebiet des Geschlechtslebens mit umschließt. Hier ist die Lücke, deren Ausfüllung Erzieher und Reformer in Angriff nehmen sollten! In Staaten, welche die Kindererziehung ganz oder teilweise in den Händen der Geistlichkeit belassen haben, darf man allerdings solche Forderung nicht erheben. Der Geistliche wird die Wesensgleichheit von Mensch und Tier nie zugeben, da er auf die unsterbliche Seele nicht verzichten kann, die er braucht, um die Moralforderung zu begründen. So bewährt es sich denn wieder einmal, wie unklug es ist, einem zerlumpten Rock einen einzigen seidenen Lappen aufzunähen, wie unmöglich es ist, eine vereinzelte Reform durchzuführen, ohne an den Grundlagen des Systems zu ändern!

ÜBER INFANTILE SEXUALTHEORIEN

(1908)

ÜBER INFANTILE SEXUALTHEORIEN

Das Material, auf welches die nachstehende Zusammenstellung sich stützt, stammt aus mehreren Quellen. Erstens aus der unmittelbaren Beobachtung der Äußerungen und des Treibens der Kinder, zweitens aus den Mitteilungen erwachsener Neurotiker, die während einer psychoanalytischen Behandlung erzählen, was sie von ihrer Kinderzeit bewußt in Erinnerung haben, und zum dritten Anteile aus den Schlüssen, Konstruktionen und ins Bewußte übersetzten unbewußten Erinnerungen, die sich aus den Psychoanalysen mit Neurotikern ergeben.

Daß die erste dieser drei Quellen nicht für sich allein alles Wissenswerte geliefert hat, begründet sich durch das Verhalten der Erwachsenen gegen das kindliche Sexualleben. Man mutet den Kindern keine Sexualtätigkeit zu, gibt sich darum keine Mühe, eine solche zu beobachten, und unterdrückt anderseits die Äußerungen derselben, die der Aufmerksamkeit würdig wären. Die Gelegenheit, aus dieser lautersten und ergiebigsten Quelle zu schöpfen, ist daher eine recht eingeschränkte. Was aus den unbeeinflußten Mitteilungen Erwachsener über ihre bewußten Kindheitserinnerungen stammt, unterliegt höchstens der Einwendung der möglichen Verfälschung in der Rückschau, wird aber außerdem nach dem Gesichtspunkte zu werten sein, daß die Gewährspersonen später neurotisch geworden sind. Das Material der dritten Herkunft wird allen Anfechtungen unterliegen, die man gegen die Verläßlichkeit der Psychoanalyse und die Sicherheit der aus ihr gezogenen Schlüsse ins Feld zu führen pflegt; die Rechtfertigung dieses Urteils kann also hier nicht versucht werden; ich will nur versichern, daß derjenige, welcher die psychoanalytische Technik kennt und ausübt, ein weitgehendes Zutrauen zu ihren Ergebnissen gewinnt.

Für die Vollständigkeit meiner Resultate kann ich nicht einstehen, bloß für die Sorgfalt, mit der ich mich um ihre Gewinnung bemüht habe.

Eine schwierige Frage bleibt es zu entscheiden, inwieweit man das, was hier von den Kindern im allgemeinen berichtet wird, von allen Kindern, das heißt von jedem einzelnen Kinde, voraussetzen darf. Erziehungsdruck und verschiedene Intensität des Sexualtriebes werden gewiß große individuelle Schwankungen im Sexualverhalten des Kindes ermöglichen, vor allem das zeitliche Auftreten des kindlichen Sexualinteresses beeinflussen. Ich habe darum meine Darstellung nicht nach aufeinanderfolgenden Kindheitsepochen gegliedert, sondern in einem zusammengefaßt, was bei verschiedenen Kindern bald früher, bald später zur Geltung kommt. Es ist meine Überzeugung, daß sich doch kein Kind – kein vollsinniges wenigstens oder gar geistig begabtes – der Beschäftigung mit den sexuellen Problemen in den Jahren *vor* der Pubertät entziehen kann.

Ich denke nicht groß von dem Einwurfe, daß die Neurotiker eine besondere, durch degenerative Anlage ausgezeichnete Menschenklasse sind, aus deren Kinderleben auf die Kindheit anderer zu schließen untersagt sein müßte. Die Neurotiker sind Menschen wie andere auch, von den normalen nicht scharf abzugrenzen, in ihrer Kindheit nicht immer leicht von denjenigen, die später gesund bleiben, zu unterscheiden. Es ist eines der wertvollsten Ergebnisse unserer psychoanalytischen Untersuchungen, daß ihre Neurosen keinen besonderen, ihnen eigentümlich und allein zukommenden psychischen Inhalt haben, sondern daß sie, wie C. G. Jung es ausdrückt, an denselben Komplexen erkranken, mit denen auch wir Gesunde kämpfen. Der Unterschied ist nur der, daß die Gesunden diese Komplexe zu bewältigen wissen ohne groben, praktisch nachweisbaren Schaden, während den Nervösen die Unterdrückung dieser Komplexe nur um den Preis von kostspieligen Ersatzbildungen gelingt, also praktisch mißlingt. Nervöse und Normale stehen einander in der Kindheit natürlich noch viel näher als im späteren Leben, so daß ich einen methodischen Fehler nicht darin erblicken kann, die Mitteilungen von Neurotikern über ihre Kindheit zu Analogieschlüssen über das normale Kindheitsleben zu verwerten. Da aber die späteren Neurotiker sehr häufig einen besonders starken Geschlechtstrieb und eine Neigung zur Frühreife, vorzeitiger Äußerung desselben, in ihrer Konstitution mitbringen, werden sie uns vieles von der infantilen Sexualbetätigung greller und deutlicher erkennen lassen, als unserer ohnedies stumpfen Beobachtungsgabe an

anderen Kindern möglich wäre. Der wirkliche Wert dieser von erwachsenen Neurotikern herrührenden Mitteilungen wird sich allerdings erst abschätzen lassen, wenn man nach dem Vorgange von Havelock Ellis auch die Kindheitserinnerungen erwachsener Gesunder der Sammlung gewürdigt haben wird.
Infolge der Ungunst äußerer wie innerer Verhältnisse haben die nachstehenden Mitteilungen vorwiegend nur auf die Sexualentwicklung des einen Geschlechtes, des männlichen nämlich, Bezug. Der Wert einer Sammlung aber, wie ich sie hier versuche, braucht kein bloß deskriptiver zu sein. Die Kenntnis der infantilen Sexualtheorien, wie sie sich im kindlichen Denken gestalten, kann nach verschiedenen Richtungen interessant sein, überraschenderweise auch für das Verständnis der Mythen und Märchen. Unentbehrlich bleibt sie aber für die Auffassung der Neurosen selbst, innerhalb deren diese kindlichen Theorien noch in Geltung sind und einen bestimmenden Einfluß auf die Gestaltung der Symptome gewinnen.

Wenn wir unter Verzicht auf unsere Leiblichkeit als bloß denkende Wesen, etwa von einem anderen Planeten her, die Dinge dieser Erde frisch ins Auge fassen könnten, so würde vielleicht nichts anderes unserer Aufmerksamkeit mehr auffallen als die Existenz zweier Geschlechter unter den Menschen, die, einander sonst so *ähnlich*, doch durch die äußerlichsten Anzeichen ihre Verschiedenheit betonen. Es scheint nun nicht, daß auch die Kinder diese Grundtatsache zum Ausgange ihrer Forschungen über sexuelle Probleme wählen. Da sie Vater und Mutter kennen, soweit sie sich ihres Lebens erinnern, nehmen sie deren Vorhandensein als eine weiter nicht zu untersuchende Realität hin, und ebenso verhält sich der Knabe gegen ein Schwesterchen, von dem er nur durch eine geringe Altersdifferenz von ein oder zwei Jahren getrennt ist. Der Wissensdrang der Kinder erwacht hier überhaupt nicht spontan, etwa infolge eines eingeborenen Kausalitätsbedürfnisses, sondern unter dem Stachel der sie beherrschenden eigensüchtigen Triebe, wenn sie – etwa nach Vollendung des zweiten Lebensjahres – von der Ankunft eines neuen Kindes betroffen werden. Diejenigen Kinder, deren Kinderstube nicht im Hause selbst eine solche Einquartierung empfängt, sind dann noch imstande, sich nach ihren Beobachtungen in anderen Häusern in diese Situation zu versetzen. Der selbst erfahrene oder mit Recht befürchtete Entgang an Fürsorge von seiten der Eltern, die Ahnung, allen Besitz von nun an für alle Zeiten mit dem Neuankömmlinge teilen zu müssen, wirken erweckend auf das Gefühlsleben des Kindes und verschärfend auf seine Denkfähigkeit. Das ältere Kind äußert unverhohlene Feindseligkeit gegen den Konkurrenten, die sich in unliebenswürdiger Beurteilung desselben, in Wünschen, daß »der Storch ihn wieder mitnehmen möge«, und dergleichen Luft macht und gelegentlich selbst zu kleinen Attentaten auf das hilflos in der Wiege Daliegende führt. Eine größere Altersdifferenz schwächt den Ausdruck dieser primären Feindseligkeit in der Regel ab; ebenso kann in etwas späteren Jahren, wenn Geschwister ausbleiben, der Wunsch nach einem Gespielen, wie das Kind ihn anderswo beobachten konnte, die Oberhand erhalten.

Unter der Anregung dieser Gefühle und Sorgen kommt das Kind nun zur Beschäftigung mit dem ersten, großartigen Problem des Lebens und stellt sich der Frage, *woher die Kinder kommen*, die wohl zuerst lautet, woher dieses einzelne, störende Kind gekommen ist. Den Nachklang dieser ersten Rätselfrage glaubt man in unbestimmt vielen Rätseln des Mythus und der Sage zu vernehmen; die Frage selbst ist, wie alles Forschen, ein Produkt der Lebensnot, als ob dem Denken die Aufgabe gestellt würde, das Wiedereintreffen so gefürchteter Ereignisse zu verhüten. Nehmen wir indes an, daß sich das Denken des Kindes alsbald von seiner Anregung frei macht und als selbständiger Forschertrieb weiterarbeitet. Wo das Kind nicht bereits zu sehr eingeschüchtert ist, schlägt es früher oder später den nächsten Weg ein, Antwort von seinen Eltern und Pflegepersonen, die ihm die Quelle des Wissens bedeuten, zu verlangen. Dieser Weg geht aber fehl. Das Kind erhält entweder ausweichende Antwort oder einen Verweis für seine Wißbegierde oder wird mit jener mythologisch bedeutsamen Auskunft abgefertigt, die in deutschen Landen lautet: Der Storch bringe die Kinder, die er aus dem Wasser hole. Ich habe Grund anzunehmen, daß weit mehr Kinder, als die Eltern ahnen, mit dieser Lösung unzufrieden sind und ihr energische Zweifel entgegensetzen, die nur nicht immer offen eingestanden werden. Ich weiß von einem dreijährigen Knaben, der nach erhaltener Aufklärung zum Schrecken seiner Kinderfrau vermißt wurde und sich am Ufer des großen Schloßteiches wiederfand, wohin er geeilt war, um die Kinder im Wasser zu beobachten, von einem anderen, der seinem Unglauben keine andere als die zaghafte Aussprache gestatten konnte, er wisse es besser, nicht der Storch bringe die Kinder, sondern der – Fischreiher. Es scheint mir aus vielen Mitteilungen hervorzugehen, daß die Kinder der Storchtheorie den Glauben verweigern, von dieser ersten Täuschung und Abweisung an aber ein Mißtrauen gegen die Erwachsenen in sich nähren, die Ahnung von etwas Verbotenem gewinnen, das ihnen von den »Großen« vorenthalten wird, und darum ihre weiteren Forschungen mit Geheimnis verhüllen. Sie haben dabei aber auch den ersten Anlaß eines »psychischen Konflikts« erlebt, indem Meinungen, für die sie eine triebartige Bevorzugung empfinden, die aber den Großen nicht »recht« sind, in Gegensatz zu anderen geraten, die durch die Autorität der »Großen« gehalten werden, ohne ihnen selbst genehm zu sein. Aus diesem psychischen Konflikte kann bald eine »psychische Spaltung« werden; die eine Meinung, mit der die Bravheit, aber auch die Sistierung des Nachdenkens verbunden ist, wird zur herrschenden, bewußten; die andere, für die die Forscherarbeit unterdes neue Beweise erbracht hat, die nicht gelten sollen, zur unterdrückten, »unbewußten«. Der Kernkomplex der Neurose findet sich auf diese Weise konstituiert.

Ich habe kürzlich durch die Analyse eines fünfjährigen Knaben, die dessen Vater mit ihm angestellt und mir dann zur Veröffentlichung überlassen hat, den unwiderleglichen Nachweis für eine Einsicht erhalten, auf deren Spur mich die Psychoanalysen Erwachsener längst geführt hatten. Ich weiß jetzt, daß die Graviditätsveränderung der Mutter den scharfen Augen des Kindes nicht entgeht und daß dieses sehr wohl imstande ist, eine Weile nachher den richtigen Zusammenhang zwischen der Leibeszunahme der Mutter und dem Erscheinen des Kindes herzustellen. In dem erwähnten Falle war der Knabe dreieinhalb Jahre alt, als seine Schwester geboren wurde, und vierdreiviertel, als er sein besseres Wissen durch die unverkennbarsten Anspielungen erraten ließ. Diese frühzeitige Erkenntnis wird aber immer geheimgehalten und später im Zusammenhange

mit den weiteren Schicksalen der kindlichen Sexualforschung verdrängt und vergessen.
Die »Storchfabel« gehört also nicht zu den infantilen Sexualtheorien; es ist im Gegenteile die Beobachtung der Tiere, die ihr Sexualleben so wenig verhüllen und denen sich das Kind so verwandt fühlt, die den Unglauben des Kindes bestärkt. Mit der Erkenntnis, das Kind wachse im Leibe der Mutter, die das Kind noch selbständig erwirbt, wäre es auf dem richtigen Wege, das Problem, an dem es zuerst seine Denkkraft erprobt, zu lösen. Im weiteren Fortschreiten wird es aber gehemmt durch eine Unwissenheit, die sich nicht ersetzen läßt, und durch falsche Theorien, welche der Zustand der eigenen Sexualität ihm aufdrängt.
Diese falschen Sexualtheorien, die ich nun erörtern werde, haben alle einen sehr merkwürdigen Charakter. Obwohl sie in grotesker Weise fehlgehen, enthalten sie doch, jede von ihnen, ein Stück echter Wahrheit, in dieser Zusammensetzung analog den »genial« geheißenen Lösungsversuchen Erwachsener an den für den Menschenverstand überschwierigen Weltproblemen. Das Richtige und Triftige an diesen Theorien erklärt sich durch deren Abkunft von den Komponenten des Sexualtriebes, die sich bereits im kindlichen Organismus regen; denn nicht psychische Willkür oder zufällige Eindrücke haben diese Annahmen entstehen lassen, sondern die Notwendigkeiten der psychosexuellen Konstitution, und darum können wir von typischen Sexualtheorien der Kinder sprechen, darum finden wir die nämlichen irrigen Meinungen bei allen Kindern, deren Sexualleben uns zugänglich wird.
Die erste dieser Theorien knüpft an die Vernachlässigung der Geschlechtsunterschiede an, die wir eingangs als kennzeichnend für das Kind hervorgehoben haben. Sie besteht darin, *allen Menschen, auch den weiblichen Personen, einen Penis zuzusprechen*, wie ihn der Knabe vom eigenen Körper kennt. Gerade in jener Sexualkonstitution, die wir als die »normale« anerkennen müssen, ist der Penis schon in der Kindheit die leitende erogene Zone, das hauptsächlichste autoerotische Sexualobjekt, und seine Wertschätzung spiegelt sich logisch in dem Unvermögen, eine dem Ich ähnliche Persönlichkeit ohne diesen wesentlichen Bestandteil vorzustellen. Wenn der kleine Knabe das Genitale eines Schwesterchens zu Gesicht be-

kommt, so zeigen seine Äußerungen, daß sein Vorurteil bereits stark genug ist, um die Wahrnehmung zu beugen; er konstatiert nicht etwa das Fehlen des Gliedes, sondern sagt *regelmäßig*, wie tröstend und vermittelnd: der... ist aber noch klein; nun, wenn sie größer wird, wird er schon wachsen. Die Vorstellung des Weibes mit dem Penis kehrt noch spät in den Träumen des Erwachsenen wieder; in nächtlicher sexueller Erregung wirft er ein Weib nieder, entblößt es und bereitet sich zum Koitus, um dann beim Anblick des wohlausgebildeten Gliedes an Stelle der weiblichen Genitalien den Traum und die Erregung abzubrechen. Die zahlreichen Hermaphroditen des klassischen Altertums geben diese einst allgemeine infantile Vorstellung getreulich wieder; man kann beobachten, daß sie auf die meisten normalen Menschen nicht verletzend wirkt, während die wirklich von der Natur zugelassenen hermaphroditischen Bildungen der Genitalien fast immer den größten Abscheu erregen.

Wenn sich diese Vorstellung des Weibes mit dem Penis bei dem Kinde »fixiert«, allen Einflüssen des späteren Lebens widersteht und den Mann unfähig macht, bei seinem Sexualobjekt auf den Penis zu verzichten, so muß ein solches Individuum bei sonst normalem Sexualleben ein Homosexueller werden, seine Sexualobjekte unter den Männern suchen, die durch andere somatische und seelische Charaktere an das Weib erinnern. Das wirkliche Weib, wie es später erkannt wird, bleibt als Sexualobjekt unmöglich für ihn, da es des wesentlichen sexuellen Reizes entbehrt, ja im Zusammenhange mit einem anderen Eindruck des Kinderlebens kann es zum Abscheu für ihn werden. Das hauptsächlich von der Peniserregung beherrschte Kind hat sich gewöhnlich durch Reizung desselben mit der Hand Lust geschafft, ist von den Eltern oder Wartepersonen dabei ertappt und mit der Drohung, man werde ihm das Glied abschneiden, erschreckt worden. Die Wirkung dieser »Kastrationsdrohung« ist im richtigen Verhältnisse zur Schätzung dieses Körperteiles eine ganz außerordentlich tiefgreifende und nachhaltige. Sagen und Mythen zeugen von dem Aufruhr des kindlichen Gefühlslebens, von dem Entsetzen, das sich an den Kastrationskomplex knüpft, der dann später auch entsprechend widerwillig vom Bewußtsein erinnert wird. An diese Drohung mahnt nun das später wahrgenommene, als verstümmelt aufgefaßte Genitale des Weibes, und darum erweckt es beim Homosexuellen Grausen anstatt Lust. An dieser Reaktion kann nichts mehr geändert werden, wenn der Homosexuelle von der Wissenschaft erfährt, daß die kindliche Annahme, auch die Frau besitze einen Penis, doch nicht so irregeht. Die Anatomie hat die Klitoris innerhalb der weiblichen Schamspalte als das dem Penis homologe Organ erkannt, und die Physiologie der Sexualvorgänge hat hinzufügen können, daß dieser kleine und nicht mehr wachsende Penis sich in der Kindheit des Weibes tatsächlich wie ein echter und rechter Penis benimmt, daß er zum Sitz von Erregungen wird, die zu seiner Berührung veranlassen, daß seine Reizbarkeit der Sexualbetätigung des kleinen Mädchens männlichen Charakter verleiht und daß es eines Verdrängungsschubes in den Pubertätsjahren bedarf, um durch Hinwegräumung dieser männlichen Sexualität das Weib entstehen zu lassen. Wie nun viele Frauen in ihrer Sexualfunktion daran verkümmern, daß diese Klitoriserregbarkeit hartnäckig festgehalten wird, so daß sie im Koitusverkehr anästhetisch bleiben, oder daß die Verdrängung zu übermäßig erfolgt, so daß ihre Wirkung durch hysterische Ersatzbildung teilweise aufgehoben wird; dies alles gibt der infantilen Sexualtheorie, das Weib besitze wie der Mann einen Penis, nicht unrecht.

An dem kleinen Mädchen kann man mit Leichtigkeit beobachten, daß es die Schätzung des Bruders durchaus teilt. Es entwickelt ein großes Interesse für diesen Körperteil beim Knaben, das aber alsbald vom Neide kommandiert wird. Es fühlt sich benachteiligt, es macht Versuche, in solcher Stellung zu urinieren, wie es dem Knaben durch den Besitz des großen Penis ermöglicht wird, und wenn es den Wunsch äußert: Ich möchte lieber ein Bub sein, so wissen wir, welchem Mangel dieser Wunsch abhelfen soll.

Wenn das Kind den Andeutungen folgen könnte, die von der Erregung des Penis ausgehen, so würde es der Lösung seines Problems um ein Stück näherrücken. Daß das Kind im Leibe der Mutter wächst, ist offenbar nicht genug Erklärung. Wie kommt es hinein? Was gibt den Anstoß zu seiner Entwicklung? Daß der Vater etwas damit zu tun hat, ist wahrscheinlich; er erklärt ja, das Kind sei auch sein Kind.[1] Anderseits hat der Penis gewiß auch seinen Anteil an diesen nicht zu erratenden Vorgängen, er bezeugt es durch seine Miterregung bei all dieser Gedankenarbeit. Mit dieser Erregung sind Antriebe verbunden, die das Kind nicht zu deuten weiß, dunkle Impulse zu gewaltsamem Tun, zum Eindringen, Zerschlagen, irgendwo ein Loch aufreißen. Aber wenn das Kind so auf dem besten Wege scheint, die Existenz der Scheide zu postulieren und dem Penis des Vaters ein solches Eindringen bei der Mutter zuzuschreiben als jenen Akt, durch den das Kind im Leibe der Mutter entsteht, so bricht an dieser Stelle doch die Forschung ratlos ab, denn ihr steht die Theorie im Wege, daß die Mutter einen Penis besitzt wie ein Mann, und die Existenz des Hohlraumes, der den Penis aufnimmt, bleibt für das Kind unentdeckt. Daß die Erfolglosigkeit der Denkbemühung dann ihre Verwerfung und ihr Vergessen erleichtert, wird man gern annehmen. Dieses Grübeln und Zweifeln wird aber vorbildlich für alle spätere Denkarbeit an Problemen, und der erste Mißerfolg wirkt für alle Zeit lähmend fort.

Die Unkenntnis der Vagina ermöglicht dem Kinde auch die Überzeugung von der zweiten seiner Sexualtheorien. Wenn das Kind im Leibe der Mutter wächst und aus diesem entfernt wird, so kann dies nur auf dem einzig möglichen Wege der Darmöffnung geschehen. *Das Kind muß entleert werden wie ein Exkrement, ein Stuhlgang.* Wenn dieselbe Frage in späteren Kinderjahren Gegenstand des einsamen Nachdenkens oder der Besprechung zwischen zwei Kindern wird, so stellen sich wohl die Auskünfte ein, das Kind komme aus dem sich öffnenden Nabel oder der Bauch werde aufgeschnitten und das Kind herausgenommen, wie es dem Wolfe im Märchen von Rotkäppchen geschieht. Diese Theorien werden laut ausgesprochen und später auch bewußt erinnert; sie enthalten nichts Anstößiges mehr. Dieselben Kinder haben dann völlig vergessen, daß sie in früheren Jahren an eine andere Geburtstheorie glaubten, welcher gegenwärtig die seither eingetretene Verdrängung der analen Sexualkomponente im Wege steht. Damals war der Stuhlgang etwas,

1 Vgl. hiezu die Analyse des fünfjährigen Knaben im Jahrbuch für psychoanalytische und psychopathologische Forschungen. 1. Halbbd. 1909. (Bd. VII dieser Gesamtausgabe [der *Gesammelten Werke*].)

wovon in der Kinderstube ohne Scheu gesprochen werden durfte, das Kind stand seinen konstitutionellen koprophilen Neigungen noch nicht so ferne; es war keine Degradation, so zur Welt zu kommen wie ein Haufen Kot, den der Ekel noch nicht verdammt hatte. Die Kloakentheorie, die für so viele Tiere ja zu Recht besteht, war die natürlichste und die einzige, die sich dem Kinde als wahrscheinlich aufdrängen konnte.

Dann war es aber nur konsequent, daß das Kind das schmerzliche Vorrecht des Weibes, Kinder zu gebären, nicht gelten ließ. Wenn die Kinder durch den After geboren werden, so kann der Mann ebensogut gebären wie das Weib. Der Knabe kann also auch phantasieren, daß er selbst Kinder bekommt, ohne daß wir ihn darum femininer Neigungen zu beschuldigen brauchen. Er betätigt dabei nur seine noch regsame Analerotik.

Wenn sich die Kloakentheorie der Geburt im Bewußtsein späterer Kinderjahre erhält, was gelegentlich vorkommt, so bringt sie auch eine allerdings nicht mehr ursprüngliche Lösung der Frage nach der Entstehung der Kinder mit sich. Es ist dann wie im Märchen. Man ißt etwas Bestimmtes und davon bekommt man ein Kind. Die Geisteskranke belebt diese infantile Geburtstheorie dann wieder. Die Maniaka etwa führt den besuchenden Arzt zu einem Häufchen Kot, das sie in einer Ecke ihrer Zelle abgesetzt hat, und sagt ihm lachend: Das ist das Kind, das ich heute geboren habe.

Die dritte der typischen Sexualtheorien ergibt sich den Kindern, wenn sie durch irgendeine der häuslichen Zufälligkeiten zu Zeugen des elterlichen Sexualverkehrs werden, über den sie dann doch nur sehr unvollständige Wahrnehmungen machen können. Welches Stück desselben dann immer in ihre Beobachtung fällt, ob die gegenseitige Lage der beiden Personen oder die Geräusche oder gewisse Nebenumstände, sie gelangen in allen Fällen zur nämlichen, wir können sagen *sadistischen Auffassung des Koitus*, sehen in ihm etwas, was der stärkere Teil dem schwächeren mit Gewalt antut, und vergleichen ihn, zumal die Knaben, mit einer Rauferei, wie sie sie aus ihrem Kinderverkehr kennen und die ja auch der Beimengung sexueller Erregung nicht ermangelt. Ich habe nicht feststellen können, daß die Kinder diesen von ihnen beobachteten Vorgang zwischen den Eltern als das zur Lösung des Kinderproblems erforderliche Stück agnoszieren würden; öfter hatte es den Anschein, als würde diese Beziehung von den Kindern gerade darum verkannt, weil sie dem Liebesakte solche Deutung ins Gewalttätige gegeben haben. Aber diese Auffassung macht selbst den Eindruck einer Wiederkehr jenes dunkeln Impulses zur grausamen Betätigung, der sich beim ersten Nachdenken über das Rätsel, woher die Kinder kommen, an die Peniserregung knüpfte. Es ist auch die Möglichkeit nicht abzuleugnen, daß jener frühzeitige sadistische Impuls, der den Koitus beinahe hätte erraten lassen, selbst unter dem Einflusse dunkelster Erinnerungen an den Verkehr der Eltern aufgetreten ist, für die das Kind, als es noch in den ersten Lebensjahren das Schlafzimmer der Eltern teilte, das Material aufgenommen hatte, ohne es damals zu verwerten.[1]

Die sadistische Theorie des Koitus, die in ihrer Isoliertheit zur Irreführung wird, wo sie hätte Bestätigung bringen können, ist wiederum der Ausdruck einer der angeborenen sexuellen Komponenten, die bei dem einzelnen Kinde mehr oder minder stark ausgeprägt sein mag, und sie hat daher ein Stück weit recht, errät zum Teil das Wesen des Geschlechtsaktes und den »Kampf der Geschlechter«, der ihm vorhergeht. Nicht selten ist das Kind auch in der Lage, diese seine Auffassung durch akzidentelle Wahrnehmungen zu stützen, die es zum Teil richtig, zum anderen wieder falsch, ja gegensätzlich erfaßt. In vielen Ehen sträubt sich die Frau wirklich regelmäßig gegen die eheliche Umarmung, die ihr keine Lust und die Gefahr neuer Schwangerschaft bringt, und so mag die Mutter dem für schlafend gehaltenen (oder sich schlafend stellenden) Kinde einen Eindruck bieten, der gar nicht anders denn als ein Wehren gegen eine Gewalttat gedeutet werden kann. Andere Male noch gibt die ganze Ehe dem aufmerksamen Kinde das Schauspiel eines unausgesetzten, in lauten Worten und unfreundlichen Gebärden sich äußernden Streites, wo dann das Kind sich nicht zu wundern braucht, daß dieser Streit sich auch in der Nacht fortsetzt und endlich durch dieselben Methoden ausgetragen wird, die das Kind im Verkehre mit

1 In dem 1794 veröffentlichten autobiographischen Buche »Monsieur Nicolas« bestätigt Restif de la Bretonne dieses sadistische Mißverständnis des Koitus in der Erzählung eines Eindruckes aus seinem vierten Lebensjahre.

seinen Geschwistern oder Spielgenossen zu gebrauchen gewöhnt ist.

Als eine Bestätigung seiner Auffassung sieht das Kind es aber auch an, wenn es Blutspuren im Bett oder an der Wäsche der Mutter entdeckt. Diese sind ihm ein Beweis dafür, daß in der Nacht wieder ein solcher Überfall des Vaters auf die Mutter stattgefunden hat, während wir dieselbe frische Blutspur lieber als Anzeichen einer Pause im sexuellen Verkehre deuten werden. Manche sonst unerklärliche »Blutscheu« der Nervösen findet durch diesen Zusammenhang ihre Aufklärung. Der Irrtum des Kindes deckt wiederum ein Stückchen Wahrheit; unter gewissen, bekannten Verhältnissen wird die Blutspur allerdings als Zeichen des eingeleiteten sexuellen Verkehres gewürdigt.

In loserem Zusammenhange mit dem unlösbaren Problem, woher die Kinder kommen, beschäftigt sich das Kind mit der Frage, was das Wesen und der Inhalt des Zustandes sei, den man »Verheiratetsein« heißt, und beantwortet diese Frage verschieden, je nach dem Zusammentreffen von zufälligen Wahrnehmungen bei den Eltern mit den eigenen noch lustbetonten Trieben. Nur daß es sich vom Verheiratetsein Lustbefriedigung verspricht und ein Hinwegsetzen über die Scham vermutet, scheint allen diesen Beantwortungen gemeinsam. Die Auffassung, die ich am häufigsten gefunden habe, lautet, daß *»man voreinander uriniert«*; eine Abänderung, die so klingt, als ob sie symbolisch ein Mehrwissen andeuten wollte: daß *der Mann in den Topf der Frau uriniert*. Andere Male wird der Sinn des Heiratens darin verlegt: *daß man einander den Popo zeigt* (ohne sich zu schämen). In einem Falle, in dem es der Erziehung gelungen war, die Sexualerfahrung besonders lange aufzuschieben, kam das vierzehnjährige und bereits menstruierte Mädchen über Anregung der Lektüre auf die Idee, das Verheiratetsein bestehe in einer *»Mischung des Blutes«*, und da die eigene Schwester noch nicht die Periode hatte, versuchte die Lüsterne ein Attentat auf eine Besucherin, welche gestanden hatte, eben zu menstruieren, um sie zu dieser »Blutvermischung« zu nötigen.

Die infantilen Meinungen über das Wesen der Ehe, die nicht selten von der bewußten Erinnerung festgehalten werden, haben für die Symptomatik späterer neurotischer Erkrankung große Bedeutung.

Sie schaffen sich zunächst Ausdruck in Kinderspielen, in denen man das miteinander tut, was das Verheiratetsein ausmacht, und dann später einmal kann sich der Wunsch, verheiratet zu sein, die infantile Ausdrucksform wählen, um in einer zunächst unkenntlichen Phobie oder einem entsprechenden Symptom aufzutreten.[1]

Es wären dies die wichtigsten der typischen, in frühen Kindheitsjahren und spontan, nur unter dem Einflusse der sexuellen Triebkomponenten produzierten Sexualtheorien des Kindes. Ich weiß, daß ich weder die Vollständigkeit des Materials noch die Herstellung des lückenlosen Zusammenhanges mit dem sonstigen Kinderleben erreicht habe. Einzelne Nachträge kann ich hier noch anfügen, die sonst jeder Kundige vermißt hätte. So zum Beispiel die bedeutsame Theorie, daß man ein Kind durch einen Kuß bekommt, die wie selbstverständlich die Vorherrschaft der erogenen Mundzone verrät. Nach meiner Erfahrung ist diese Theorie ausschließlich feminin und wird als pathogen manchmal bei Mädchen angetroffen, bei denen die Sexualforschung in der Kindheit die stärksten Hemmungen erfahren hat. Eine meiner Patientinnen gelangte durch eine zufällige Wahrnehmung zur Theorie der »Couvade«, die bekanntlich bei manchen Völkern allgemeine Sitte ist und wahrscheinlich die Absicht hat, dem nie völlig zu besiegenden Zweifel an der Paternität zu widersprechen. Da ein etwas sonderbarer Onkel nach der Geburt seines Kindes tagelang zu Hause blieb und die Besucher im Schlafrock empfing, schloß sie, daß bei einer Geburt beide Eltern beteiligt seien und zu Bette gehen müßten.

Um das zehnte oder elfte Lebensjahr tritt die sexuelle Mitteilung an die Kinder heran. Ein Kind, welches in ungehemmteren sozialen Verhältnissen aufgewachsen ist oder sonst glücklichere Gelegenheit zur Beobachtung gefunden hat, teilt anderen mit, was es weiß, weil es sich dabei reif und überlegen empfinden kann. Was die Kinder so erfahren, ist meist das Richtige, das heißt, es wird ihnen die Existenz der Vagina und deren Bestimmung verraten, aber sonst sind diese Aufklärungen, die sie voneinander entlehnen, nicht selten mit Falschem vermengt, mit Überresten der älteren infantilen Sexualtheo-

1 Die für die spätere Neurose bedeutsamsten Kinderspiele sind das »Doktorspiel« und »Papa- und Mama«-Spielen.

rien behaftet. Vollständig und zur Lösung des uralten Problems ausreichend sind sie fast nie. Wie früher die Unkenntnis der Vagina, so hindert jetzt die des Samens die Einsicht in den Zusammenhang. Das Kind kann nicht erraten, daß aus dem männlichen Geschlechtsglied noch eine andere Substanz entleert wird als der Harn, und gelegentlich zeigt sich ein »unschuldiges Mädchen« noch in der Brautnacht entrüstet darüber, daß der Mann »in sie hineinuriniere«. An diese Mitteilungen in den Jahren der Vorpubertät schließt sich nun ein neuer Aufschwung der kindlichen Sexualforschung; aber die Theorien, welche die Kinder jetzt schaffen, haben nicht mehr das typische und ursprüngliche Gepräge, das für die frühkindlichen, primären, charakteristisch war, solange die infantilen Sexualkomponenten ungehemmt und unverwandelt ihren Ausdruck in Theorien durchsetzen konnten. Die späteren Denkbemühungen zur Lösung der sexuellen Rätsel schienen mir die Sammlung nicht zu verlohnen, sie können auch auf pathogene Bedeutung wenig Anspruch mehr erheben. Ihre Mannigfaltigkeit ist natürlich in erster Linie von der Natur der erhaltenen Aufklärung abhängig; ihre Bedeutung liegt vielmehr darin, daß sie die unbewußt gewordenen Spuren jener ersten Periode des sexuellen Interesses wiedererwekken, so daß nicht selten masturbatorische Sexualbetätigung und ein Stück der Gefühlsablösung von den Eltern an sie anknüpft. Daher das verdammende Urteil der Erzieher, daß solche Aufklärung in diesen Jahren die Kinder »verderbe«.

Einige wenige Beispiele mögen zeigen, welche Elemente oft in diesen späten Grübeleien der Kinder über das Sexualleben eingehen. Ein Mädchen hat von den Schulkolleginnen gehört, daß der Mann der Frau ein Ei gibt, welches sie in ihrem Leibe ausbrütet. Ein Knabe, der auch vom Ei gehört hat, identifiziert dieses »Ei« mit dem vulgär ebenso benannten Hoden und zerbricht sich den Kopf darüber, wie denn der Inhalt des Hodensackes sich immer wieder erneuern kann. Die Aufklärungen reichen selten so weit, um wesentliche Unsicherheiten über die Geschlechtsvorgänge zu verhüten. So können Mädchen zur Erwartung kommen, der Geschlechtsverkehr finde nur ein einziges Mal statt, dauere aber da sehr lange, vierundzwanzig Stunden, und von diesem einen Male kämen der Reihe nach alle Kinder. Man sollte meinen, dieses Kind habe Kenntnis von dem Fortpflanzungsvorgang bei gewissen Insekten gewonnen; aber diese Vermutung bestätigt sich nicht, die Theorie erscheint als eine selbständige Schöpfung. Andere Mädchen übersehen die Tragzeit, das Leben im Mutterleibe, und nehmen an, daß das Kind unmittelbar nach der Nacht des ersten Verkehrs zum Vorschein komme. Marcel Prévost hat diesen Jungmädchenirrtum in einer der »Lettres de femmes« zu einer lustigen Geschichte verarbeitet. Schwer zu erschöpfen und vielleicht im allgemeinen nicht uninteressant ist das Thema dieser späten Sexualforschung der Kinder oder auf der kindlichen Stufe zurückgehaltenen Adoleszenten, aber es liegt meinem Interesse ferner, und ich muß nur noch hervorheben, daß dabei von den Kindern viel Unrechtes zutage gefördert wird, was dazu bestimmt ist, älterer, besserer, aber unbewußt gewordener und verdrängter Erkenntnis zu widersprechen.

Auch die Art, wie die Kinder sich gegen die ihnen zugehenden Mitteilungen verhalten, hat ihre Bedeutung. Bei manchen ist die Sexualverdrängung so weit gediehen, daß sie nichts anhören wollen, und diesen gelingt es auch, bis in späte Jahre unwissend zu bleiben, scheinbar unwissend wenigstens, bis in der Psychoanalyse der Neurotischen das aus früher Kinheit stammende Wissen zum Vorschein kommt. Ich weiß auch von zwei Knaben zwischen zehn und dreizehn Jahren, welche die sexuelle Aufklärung zwar anhörten, aber dem Gewährsmanne die ablehnende Antwort gaben: Es ist möglich, daß dein Vater und andere Leute so etwas tun, aber von meinem Vater weiß ich es gewiß, daß er es nie tun würde. Wie mannigfaltig immer dieses spätere Benehmen der Kinder gegen die Befriedigung der sexuellen Wißbegierde sein mag, für ihre ersten Kinderjahre dürfen wir ein durchaus gleichförmiges Verhalten annehmen und glauben, daß sie damals alle aufs eifrigste bestrebt waren zu erfahren, was die Eltern miteinander tun, woraus dann die Kinder werden.

DER FAMILIENROMAN DER NEUROTIKER

(1909)

DER FAMILIENROMAN DER NEUROTIKER

Die Ablösung des heranwachsenden Individuums von der Autorität der Eltern ist eine der notwendigsten, aber auch schmerzlichsten Leistungen der Entwicklung. Es ist durchaus notwendig, daß sie sich vollziehe, und man darf annehmen, jeder normal gewordene Mensch habe sie in einem gewissen Maß zustande gebracht. Ja, der Fortschritt der Gesellschaft beruht überhaupt auf dieser Gegensätzlichkeit der beiden Generationen. Anderseits gibt es eine Klasse von Neurotikern, in deren Zustand man die Bedingtheit erkennt, daß sie an dieser Aufgabe gescheitert sind.
Für das kleine Kind sind die Eltern zunächst die einzige Autorität und die Quelle alles Glaubens. Ihnen, das heißt dem gleichgeschlechtlichen Teile, gleich zu werden, groß zu werden wie Vater und Mutter, ist der intensivste, folgenschwerste Wunsch dieser Kinderjahre. Mit der zunehmenden intellektuellen Entwicklung kann es aber nicht ausbleiben, daß das Kind allmählich die Kategorien kennenlernt, in die seine Eltern gehören. Es lernt andere Eltern kennen, vergleicht sie mit den seinigen und bekommt so ein Recht, an der ihnen zugeschriebenen Unvergleichlichkeit und Einzigkeit zu zweifeln. Kleine Ereignisse im Leben des Kindes, die eine unzufriedene Stimmung bei ihm hervorrufen, geben ihm den Anlaß, mit der Kritik der Eltern einzusetzen und die gewonnene Kenntnis, daß andere Eltern in mancher Hinsicht vorzuziehen seien, zu dieser Stellungnahme gegen seine Eltern zu verwerten. Aus der Neurosenpsychologie wissen wir, daß dabei unter anderen die intensivsten Regungen sexueller Rivalität mitwirken. Der Gegenstand dieser Anlässe ist offenbar das Gefühl der Zurücksetzung. Nur zu oft ergeben sich Gelegenheiten, bei denen das Kind zurückgesetzt wird oder sich wenigstens zurückgesetzt fühlt, wo es die volle Liebe der Eltern vermißt, besonders aber bedauert, sie mit anderen Geschwistern teilen zu müssen. Die Empfindung, daß die eigenen Neigungen nicht voll erwidert werden, macht sich dann in der aus frühen Kinderjahren oft bewußt erinnerten Idee Luft, man sei ein Stiefkind

oder ein angenommenes Kind. Viele nicht neurotisch gewordene Menschen entsinnen sich sehr häufig an solche Gelegenheiten, wo sie – meist durch Lektüre beeinflußt – das feindselige Benehmen der Eltern in dieser Weise auffaßten und erwiderten. Es zeigt sich aber hier bereits der Einfluß des Geschlechts, indem der Knabe bei weitem mehr Neigung zu feindseligen Regungen gegen seinen Vater als gegen seine Mutter zeigt und eine viel intensivere Neigung, sich von jenem als von dieser frei zu machen. Die Phantasietätigkeit der Mädchen mag sich in diesem Punkte viel schwächer erweisen. In diesen bewußt erinnerten Seelenregungen der Kinderjahre finden wir das Moment, welches uns das Verständnis des Mythus ermöglicht.

Selten bewußt erinnert, aber fast immer durch die Psychoanalyse nachzuweisen ist dann die weitere Entwicklungsstufe dieser beginnenden Entfremdung von den Eltern, die man mit dem Namen: *Familienromane der Neurotiker* bezeichnen kann. Es gehört nämlich durchaus zum Wesen der Neurose und auch jeder höheren Begabung eine ganz besondere Tätigkeit der Phantasie, die sich zunächst in den kindlichen Spielen offenbart und die nun, ungefähr von der Zeit der Vorpubertät angefangen, sich des Themas der Familienbeziehungen bemächtigt. Ein charakteristisches Beispiel dieser besonderen Phantasietätigkeit ist das bekannte *Tagträumen*[1], das weit über die Pubertät hinaus fortgesetzt wird. Eine genaue Beobachtung dieser Tagträume lehrt, daß sie der Erfüllung von Wünschen, der Korrektur des Lebens dienen und vornehmlich zwei Ziele kennen: das erotische und das ehrgeizige (hinter dem aber meist auch das erotische steckt). Um die angegebene Zeit beschäftigt sich nun die Phantasie des Kindes mit der Aufgabe, die geringgeschätzten Eltern loszuwerden und durch in der Regel sozial höherstehende zu ersetzen. Dabei wird das zufällige Zusammentreffen mit wirklichen Erlebnissen (die Bekanntschaft des Schloßherrn oder Gutsbesitzers auf dem Lande, der Fürstlichkeit in der Stadt) ausgenützt. Solche zufällige Erlebnisse erwecken den Neid des Kindes, der dann den Ausdruck in einer Phantasie findet, welche beide

1 Vgl. darüber Freud: »Hysterische Phantasien und ihre Beziehung zur Bisexualität«, wo auch auf die Literatur zu diesem Thema verwiesen ist. (Ges. Werke, Bd. VII.)

Eltern durch vornehmere ersetzt. In der Technik der Ausführung solcher Phantasien, die natürlich um diese Zeit bewußt sind, kommt es auf die Geschicklichkeit und das Material an, das dem Kinde zur Verfügung steht. Auch handelt es sich darum, ob die Phantasien mit einem großen oder geringen Bemühen, die Wahrscheinlichkeit zu erreichen, ausgearbeitet sind. Dieses Stadium wird zu einer Zeit erreicht, wo dem Kinde die Kenntnis der sexuellen Bedingungen der Herkunft noch fehlt.

Kommt dann die Kenntnis der verschiedenartigen sexuellen Beziehungen von Vater und Mutter dazu, begreift das Kind, daß *pater semper incertus est*, während die Mutter *certissima* ist[1], so erfährt der Familienroman eine eigentümliche Einschränkung: er begnügt sich nämlich damit, den Vater zu erhöhen, die Abkunft von der Mutter aber als etwas Unabänderliches nicht weiter in Zweifel zu ziehen. Dieses zweite (sexuelle) Stadium des Familienromans wird auch von einem zweiten Motiv getragen, das dem ersten (asexuellen) Stadium fehlte. Mit der Kenntnis der geschlechtlichen Vorgänge entsteht die Neigung, sich erotische Situationen und Beziehungen auszumalen, wozu als Triebkraft die Lust tritt, die Mutter, die Gegenstand der höchsten sexuellen Neugierde ist, in die Situation von geheimer Untreue und geheimen Liebesverhältnissen zu bringen. In dieser Weise werden jene ersten, gleichsam asexuellen Phantasien auf die Höhe der jetzigen Erkenntnis gebracht.

Übrigens zeigt sich das Motiv der Rache und Vergeltung, das früher im Vordergrunde stand, auch hier. Diese neurotischen Kinder sind es ja auch meist, die bei der Abgewöhnung sexueller Unarten von den Eltern bestraft wurden und die sich nun durch solche Phantasien an ihren Eltern rächen.

Ganz besonders sind es später geborene Kinder, die vor allem ihre Vordermänner durch derartige Dichtungen (ganz wie in historischen Intrigen) ihres Vorzuges berauben, ja die sich oft nicht scheuen, der Mutter ebenso viele Liebesverhältnisse anzudichten, als Konkurrenten vorhanden sind. Eine interessante Variante dieses Familienromans ist es dann, wenn der dichtende Held für sich selbst

---

1 [Juristische Redensart: »Die Vaterschaft ist immer ungewiß, die Mutterschaft stets ganz sicher.«]

zur Legitimität zurückkehrt, während er die anderen Geschwister auf diese Art als illegitim beseitigt. Dabei kann noch ein besonderes Interesse den Familienroman dirigieren, der mit seiner Vielseitigkeit und mannigfachen Verwendbarkeit allerlei Bestrebungen entgegenkommt. So beseitigt der kleine Phantast zum Beispiel auf diese Weise die verwandtschaftliche Beziehung zu einer Schwester, die ihn etwa sexuell angezogen hat.

Wer sich von dieser Verderbtheit des kindlichen Gemütes mit Schaudern abwendete, ja selbst die Möglichkeit solcher Dinge bestreiten wollte, dem sei bemerkt, daß alle diese anscheinend so feindseligen Dichtungen eigentlich nicht so böse gemeint sind und unter leichter Verkleidung die erhalten gebliebene ursprüngliche Zärtlichkeit des Kindes für seine Eltern bewahren. Es ist nur scheinbare Treulosigkeit und Undankbarkeit; denn wenn man die häufigste dieser Romanphantasien, den Ersatz beider Eltern oder nur des Vaters durch großartigere Personen, im Detail durchgeht, so macht man die Entdeckung, daß diese neuen und vornehmen Eltern durchwegs mit Zügen ausgestattet sind, die von realen Erinnerungen an die wirklichen, niederen Eltern herrühren, so daß das Kind den Vater eigentlich nicht beseitigt, sondern erhöht. Ja, das ganze Bestreben, den wirklichen Vater durch einen vornehmeren zu ersetzen, ist nur der Ausdruck der Sehnsucht des Kindes nach der verlorenen glücklichen Zeit, in der ihm sein Vater als der vornehmste und stärkste Mann, seine Mutter als die liebste und schönste Frau erschienen ist. Er wendet sich vom Vater, den er jetzt erkennt, zurück zu dem, an den er in früheren Kinderjahren geglaubt hat, und die Phantasie ist eigentlich nur der Ausdruck des Bedauerns, daß diese glückliche Zeit entschwunden ist. Die Überschätzung der frühesten Kindheitsjahre tritt also in diesen Phantasien wieder in ihr volles Recht. Ein interessanter Beitrag zu diesem Thema ergibt sich aus dem Studium der Träume. Die Traumdeutung lehrt nämlich, daß auch noch in späteren Jahren in Träumen vom Kaiser oder von der Kaiserin diese erlauchten Persönlichkeiten Vater und Mutter bedeuten.[1] Die kindliche Überschätzung der Eltern ist also auch im Traum des normalen Erwachsenen erhalten.

---

1 Traumdeutung, 8. Aufl., S. 242 (Ges. Werke, Bd. II/III [S. 358]).

BEITRÄGE ZUR PSYCHOLOGIE DES LIEBESLEBENS

I
ÜBER EINEN BESONDEREN TYPUS DER OBJEKTWAHL BEIM MANNE
(1910)

II
ÜBER DIE ALLGEMEINSTE ERNIEDRIGUNG DES LIEBESLEBENS
(1912)

III
DAS TABU DER VIRGINITÄT
(1918)

BEITRÄGE ZUR PSYCHOLOGIE DES LIEBESLEBENS

I
ÜBER EINEN BESONDEREN TYPUS DER OBJEKTWAHL BEIM MANNE

Wir haben es bisher den Dichtern überlassen, uns zu schildern, nach welchen »Liebesbedingungen« die Menschen ihre Objektwahl treffen und wie sie die Anforderungen ihrer Phantasie mit der Wirklichkeit in Einklang bringen. Die Dichter verfügen auch über manche Eigenschaften, welche sie zur Lösung einer solchen Aufgabe befähigen, vor allem über die Feinfühligkeit für die Wahrnehmung verborgener Seelenregungen bei anderen und den Mut, ihr eigenes Unbewußtes laut werden zu lassen. Aber der Erkenntniswert ihrer Mitteilungen wird durch einen Umstand herabgesetzt. Die Dichter sind an die Bedingung gebunden, intellektuelle und ästhetische Lust sowie bestimmte Gefühlswirkungen zu erzielen, und darum können sie den Stoff der Realität nicht unverändert darstellen, sondern müssen Teilstücke desselben isolieren, störende Zusammenhänge auflösen, das Ganze mildern und Fehlendes ersetzen. Es sind dies Vorrechte der sogenannten »poetischen Freiheit«. Auch können sie nur wenig Interesse für die Herkunft und Entwicklung solcher seelischer Zustände äußern, die sie als fertige beschreiben. Somit wird es doch unvermeidlich, daß die Wissenschaft mit plumperen Händen und zu geringerem Lustgewinne sich mit denselben Materien beschäftige, an deren dichterischer Bearbeitung sich die Menschen seit Tausenden von Jahren erfreuen. Diese Bemerkungen mögen zur Rechtfertigung einer streng wissenschaftlichen Bearbeitung auch des menschlichen Liebeslebens dienen. Die Wissenschaft ist eben die vollkommenste Lossagung vom Lustprinzip, die unserer psychischen Arbeit möglich ist.

Während der psychoanalytischen Behandlung hat man reichlich Gelegenheit, sich Eindrücke aus dem Liebesleben der Neurotiker zu holen, und kann sich dabei erinnern, daß man ähnliches Verhalten auch bei durchschnittlich Gesunden oder selbst bei hervorragenden Menschen beobachtet oder erfahren hat. Durch Häufung der Eindrücke infolge zufälliger Gunst des Materials treten dann einzelne Typen deutlicher hervor. Einen solchen Typus der männlichen Objektwahl will ich hier zuerst beschreiben, weil er sich durch eine Reihe von »Liebesbedingungen« auszeichnet, deren Zusammentreffen nicht verständlich, ja eigentlich befremdend ist, und weil er eine einfache psychoanalytische Aufklärung zuläßt.

1.) Die erste dieser Liebesbedingungen ist als geradezu spezifisch zu bezeichnen; sobald man sie vorfindet, darf man nach dem Vorhandensein der anderen Charaktere dieses Typus suchen. Man kann sie die Bedingung des *»geschädigten Dritten«* nennen; ihr Inhalt geht dahin, daß der Betreffende niemals ein Weib zum Liebesobjekt wählt, welches noch frei ist, also ein Mädchen oder eine alleinstehende Frau, sondern nur ein solches Weib, auf das ein anderer Mann als Ehegatte, Verlobter, Freund Eigentumsrechte geltend machen kann. Diese Bedingung zeigt sich in manchen Fällen so unerbittlich, daß dasselbe Weib zuerst übersehen oder selbst verschmäht werden kann, solange es niemandem gehört, während es sofort Gegenstand der Verliebtheit wird, sobald es in eine der genannten Beziehungen zu einem anderen Manne tritt.

2.) Die zweite Bedingung ist vielleicht minder konstant, aber nicht weniger auffällig. Der Typus wird erst durch ihr Zusammentreffen mit der ersten erfüllt, während die erste auch für sich allein in großer Häufigkeit vorzukommen scheint. Diese zweite Bedingung besagt, daß das keusche und unverdächtige Weib niemals den Reiz ausübt, der es zum Liebesobjekt erhebt, sondern nur das irgendwie sexuell anrüchige, an dessen Treue und Verläßlichkeit ein Zweifel gestattet ist. Dieser letztere Charakter mag in einer bedeutungsvollen Reihe variieren, von dem leisen Schatten auf dem Ruf einer dem Flirt nicht abgeneigten Ehefrau bis zur offenkundig polygamen Lebensführung einer Kokotte oder Liebeskünstlerin, aber auf irgend etwas dieser Art wird von den zu unserem Typus Gehörigen nicht verzichtet. Man mag diese Bedingung mit etwas Vergröberung die der *»Dirnenliebe«* heißen.

Wie die erste Bedingung Anlaß zur Befriedigung von agonalen

feindseligen Regungen gegen den Mann gibt, dem man das geliebte Weib entreißt, so steht die zweite Bedingung, die der Dirnenhaftigkeit des Weibes, in Beziehung zur Betätigung der *Eifersucht*, die für Liebende dieses Typus ein Bedürfnis zu sein scheint. Erst wenn sie eifersüchtig sein können, erreicht die Leidenschaft ihre Höhe, gewinnt das Weib seinen vollen Wert, und sie versäumen nie, sich eines Anlasses zu bemächtigen, der ihnen das Erleben dieser stärksten Empfindungen gestattet. Merkwürdigerweise ist es nicht der rechtmäßige Besitzer der Geliebten, gegen den sich diese Eifersucht richtet, sondern neu auftauchende Fremde, mit denen man die Geliebte in Verdacht bringen kann. In grellen Fällen zeigt der Liebende keinen Wunsch, das Weib für sich allein zu besitzen, und scheint sich in dem dreieckigen Verhältnis durchaus wohl zu fühlen. Einer meiner Patienten, der unter den Seitensprüngen seiner Dame entsetzlich gelitten hatte, hatte doch gegen ihre Verheiratung nichts einzuwenden, sondern förderte diese mit allen Mitteln; gegen den Mann zeigte er dann durch Jahre niemals eine Spur von Eifersucht. Ein anderer typischer Fall war in seinen ersten Liebesbeziehungen allerdings sehr eifersüchtig gegen den Ehegatten gewesen und hatte die Dame genötigt, den ehelichen Verkehr mit diesem einzustellen; in seinen zahlreichen späteren Verhältnissen benahm er sich aber wie die anderen und faßte den legitimen Mann nicht mehr als Störung auf.

Die folgenden Punkte schildern nicht mehr die vom Liebesobjekt geforderten Bedingungen, sondern das Verhalten des Liebenden gegen das Objekt seiner Wahl.

3.) Im normalen Liebesleben wird der Wert des Weibes durch seine sexuelle Integrität bestimmt und durch die Annäherung an den Charakter der Dirnenhaftigkeit herabgesetzt. Es erscheint daher als eine auffällige Abweichung vom Normalen, daß von den Liebenden unseres Typus die mit diesem Charakter behafteten Frauen als *höchstwertige Liebesobjekte* behandelt werden. Die Liebesbeziehungen zu diesen Frauen werden mit dem höchsten psychischen Aufwand bis zur Aufzehrung aller anderen Interessen betrieben; sie sind die einzigen Personen, die man lieben kann, und die Selbstanforderung der Treue wird jedesmal wieder erhoben, sooft sie auch in der Wirklichkeit durchbrochen werden mag. In diesen Zügen der beschriebenen Liebesbeziehungen prägt sich überdeutlich der *zwanghafte* Charakter aus, welcher ja in gewissem Grade jedem Falle von Verliebtheit eignet. Man darf aber aus der Treue und Intensität der Bindung nicht die Erwartung ableiten, daß ein einziges solches Liebesverhältnis das Liebesleben der Betreffenden ausfülle oder sich nur einmal innerhalb desselben abspiele. Vielmehr wiederholen sich Leidenschaften dieser Art mit den gleichen Eigentümlichkeiten – die eine das genaue Abbild der anderen – mehrmals im Leben der diesem Typus Angehörigen, ja die Liebesobjekte können nach äußeren Bedingungen, z. B. Wechsel von Aufenthalt und Umgebung, einander so häufig ersetzen, daß es zur *Bildung einer langen Reihe* kommt.

4.) Am überraschendsten wirkt auf den Beobachter die bei den Liebenden dieses Typus sich äußernde Tendenz, die Geliebte zu *»retten«*. Der Mann ist überzeugt, daß die Geliebte seiner bedarf, daß sie ohne ihn jeden sittlichen Halt verlieren und rasch auf ein bedauernswertes Niveau herabsinken würde. Er rettet sie also, indem er nicht von ihr läßt. Die Rettungsabsicht kann sich in einzelnen Fällen durch die Berufung auf die sexuelle Unverläßlichkeit und die sozial gefährdete Position der Geliebten rechtfertigen; sie tritt aber nicht minder deutlich hervor, wo solche Anlehnungen an die Wirklichkeit fehlen. Einer der zum beschriebenen Typus gehörigen Männer, der seine Damen durch kunstvolle Verführung und spitzfindige Dialektik zu gewinnen verstand, scheute dann im Liebesverhältnis keine Anstrengung, um die jeweilige Geliebte durch selbstverfaßte Traktate auf dem Wege der »Tugend« zu erhalten.

Überblickt man die einzelnen Züge des hier geschilderten Bildes, die Bedingungen der Unfreiheit und der Dirnenhaftigkeit der Geliebten, die hohe Wertung derselben, das Bedürfnis nach Eifersucht, die Treue, die sich doch mit der Auflösung in eine lange Reihe verträgt, und die Rettungsabsicht, so wird man eine Ableitung derselben aus einer einzigen Quelle für wenig wahrscheinlich halten. Und doch ergibt sich eine solche leicht bei psychoanalytischer Vertiefung in die Lebensgeschichte der in Betracht kommenden Personen. Diese eigentümlich bestimmte Objektwahl und das so sonderbare Liebesverhalten haben dieselbe psychische Abkunft wie im Liebesleben des Normalen, sie entspringen aus der infantilen Fixierung der Zärtlichkeit an die Mutter und stellen einen der Ausgänge dieser Fixierung dar. Im normalen Liebesleben erübrigen nur wenige Züge, welche das mütterliche Vorbild der Objektwahl unverkennbar verraten, so zum Beispiel die Vorliebe junger Männer für gereiftere Frauen; die Ablösung der Libido von der Mutter hat sich verhältnismäßig rasch vollzogen. Bei unserem Typus hingegen hat die Libido auch nach dem Eintritt der Pubertät so lange bei der Mutter verweilt, daß den später gewählten Liebesobjekten die mütterlichen Charaktere eingeprägt bleiben, daß diese alle zu leicht kenntlichen Muttersurrogaten werden. Es drängt sich hier der Vergleich mit der Schädelformation[1] des Neugeborenen auf; nach protrahierter Geburt muß der Schädel des Kindes den Ausguß der mütterlichen Beckenenge darstellen.

Es obliegt uns nun, wahrscheinlich zu machen, daß die charakteristischen Züge unseres Typus, Liebesbedingungen wie Liebesverhalten, wirklich der mütterlichen Konstellation entspringen. Am leichtesten dürfte dies für die erste Bedingung, die der Unfreiheit des Weibes oder des geschädigten Dritten, gelingen. Man sieht ohne weiteres ein, daß bei dem in der Familie aufwachsenden Kinde die Tatsache, daß die Mutter dem Vater gehört, zum unabtrennbaren Stück des mütterlichen Wesens wird, und daß kein anderer als der Vater selbst der geschädigte Dritte ist. Ebenso ungezwungen fügt sich der überschätzende Zug, daß die Geliebte die einzige, Unersetzliche ist, in den infantilen Zusammenhang ein, denn niemand besitzt mehr als eine Mutter, und die Beziehung zu ihr ruht auf dem Fundament eines jedem Zweifel entzogenen und nicht zu wiederholenden Ereignisses.

Wenn die Liebesobjekte bei unserem Typus vor allem Muttersurrogate sein sollen, so wird auch die Reihenbildung verständlich, welche der Bedingung der Treue so direkt zu widersprechen scheint. Die Psychoanalyse lehrt uns auch durch andere Beispiele, daß das im Unbewußten wirksame Unersetzliche sich häufig durch die Auflösung in eine unendliche Reihe kundgibt, unendlich darum, weil jedes Surrogat doch die erstrebte Befriedigung vermissen läßt. So erklärt sich die unstillbare Fragelust der Kinder in gewissem Alter

1 [In den Ausgaben vor 1924: »Schädeldeformation«.]

daraus, daß sie eine einzige Frage zu stellen haben, die sie nicht über ihre Lippen bringen, die Geschwätzigkeit mancher neurotisch geschädigter Personen aus dem Drucke eines Geheimnisses, das zur Mitteilung drängt, und das sie aller Versuchung zum Trotze doch nicht verraten.

Dagegen scheint die zweite Liebesbedingung, die der Dirnenhaftigkeit des gewählten Objekts, einer Ableitung aus dem Mutterkomplex energisch zu widerstreben. Dem bewußten Denken des Erwachsenen erscheint die Mutter gern als Persönlichkeit von unantastbarer sittlicher Reinheit, und wenig anderes wirkt, wenn es von außen kommt, so beleidigend oder wird, wenn es von innen aufsteigt, so peinigend empfunden wie ein Zweifel an diesem Charakter der Mutter. Gerade dieses Verhältnis von schärfstem Gegensatze zwischen der »Mutter« und der »Dirne« wird uns aber anregen, die Entwicklungsgeschichte und das unbewußte Verhältnis dieser beiden Komplexe zu erforschen, wenn wir längst erfahren haben, daß im Unbewußten häufig in eines zusammenfällt, was im Bewußtsein in zwei Gegensätze gespalten vorliegt. Die Untersuchung führt uns dann in die Lebenszeit zurück, in welcher der Knabe zuerst eine vollständigere Kenntnis von den sexuellen Beziehungen zwischen den Erwachsenen gewinnt, etwa in die Jahre der Vorpubertät. Brutale Mitteilungen von unverhüllt herabsetzender und aufrührerischer Tendenz machen ihn da mit dem Geheimnis des Geschlechtslebens bekannt, zerstören die Autorität der Erwachsenen, die sich als unvereinbar mit der Enthüllung ihrer Sexualbetätigung erweist. Was in diesen Eröffnungen den stärksten Einfluß auf den Neueingeweihten nimmt, das ist deren Beziehung zu den eigenen Eltern. Dieselbe wird oft direkt von dem Hörer abgelehnt, etwa mit den Worten: Es ist möglich, daß deine Eltern und andere Leute so etwas miteinander tun, aber von meinen Eltern ist es ganz unmöglich.

Als selten fehlendes Korollar zur »sexuellen Aufklärung« gewinnt der Knabe auch gleichzeitig die Kenntnis von der Existenz gewisser Frauen, die den geschlechtlichen Akt erwerbsmäßig ausüben und darum allgemein verachtet werden. Ihm selbst muß diese Verachtung ferne sein; er bringt für diese Unglücklichen nur eine Mischung von Sehnsucht und Grausen auf, sobald er weiß, daß auch er von ihnen in das Geschlechtsleben eingeführt werden kann, welches ihm bisher als der ausschließliche Vorbehalt der »Großen« galt. Wenn er dann den Zweifel nicht mehr festhalten kann, der für seine Eltern eine Ausnahme von den häßlichen Normen der Geschlechtsbetätigung fordert, so sagt er sich mit zynischer Korrektheit, daß der Unterschied zwischen der Mutter und der Hure doch nicht so groß sei, daß sie im Grunde das nämliche tun. Die aufklärenden Mitteilungen haben nämlich die Erinnerungsspuren seiner frühinfantilen Eindrücke und Wünsche in ihm geweckt und von diesen aus gewisse seelische Regungen bei ihm wieder zur Aktivität gebracht. Er beginnt die Mutter selbst in dem neugewonnenen Sinne zu begehren und den Vater als Nebenbuhler, der diesem Wunsche im Wege steht, von neuem zu hassen; er gerät, wie wir sagen, unter die Herrschaft des Ödipuskomplexes. Er vergißt es der Mutter nicht und betrachtet es im Lichte einer Untreue, daß sie die Gunst des sexuellen Verkehres nicht ihm, sondern dem Vater geschenkt hat. Diese Regungen haben, wenn sie nicht rasch vorüberziehen, keinen anderen Ausweg, als sich in Phantasien auszuleben, welche die Sexualbetätigung der Mutter unter den mannigfachsten Verhältnissen zum Inhalte haben, deren Spannung auch besonders leicht zur Lösung im onanistischen Akte führt. Infolge des beständigen Zusammenwirkens der beiden treibenden Motive, der Begehrlichkeit und der Rachsucht, sind Phantasien von der Untreue der Mutter die bei weitem bevorzugten; der Liebhaber, mit dem die Mutter die Untreue begeht, trägt fast immer die Züge des eigenen Ichs, richtiger gesagt, der eigenen, idealisierten, durch Altersreifung auf das Niveau des Vaters gehobenen Persönlichkeit. Was ich an anderer Stelle als »Familienroman« geschildert habe[1], umfaßt die vielfältigen Ausbildungen dieser Phantasietätigkeit und deren Verwebung mit verschiedenen egoistischen Interessen dieser Lebenszeit. Nach Einsicht in dieses Stück seelischer Entwicklung können wir es aber nicht mehr widerspruchsvoll und unbegreiflich finden, daß die Bedingung der Dirnenhaftigkeit der Geliebten sich direkt aus dem Mutterkomplex ableitet. Der von uns beschriebene Typus des männlichen Liebeslebens trägt die Spuren dieser Entwicklungsge-

1 [In:] O. Rank, Der Mythus von der Geburt des Helden, [Leipzig und Wien] 1909. (Schriften zur angewandten Seelenkunde, Heft 5.) 2. Auflage 1922.

schichte an sich und läßt sich einfach verstehen als Fixierung an die Pubertätsphantasien des Knaben, die späterhin den Ausweg in die Realität des Lebens doch noch gefunden haben. Es macht keine Schwierigkeiten anzunehmen, daß die eifrig geübte Onanie der Pubertätsjahre ihren Beitrag zur Fixierung jener Phantasien geleistet hat.

Mit diesen Phantasien, welche sich zur Beherrschung des realen Liebeslebens aufgeschwungen haben, scheint die Tendenz, die Geliebte zu *retten*, nur in lockerer, oberflächlicher und durch bewußte Begründung erschöpfbarer Verbindung zu stehen. Die Geliebte bringt sich durch ihre Neigung zur Unbeständigkeit und Untreue in Gefahren, also ist es begreiflich, daß der Liebende sich bemüht, sie vor diesen Gefahren zu behüten, indem er ihre Tugend überwacht und ihren schlechten Neigungen entgegenarbeitet. Indes zeigt das Studium der Deckerinnerungen, Phantasien und nächtlichen Träume der Menschen, daß hier eine vortrefflich gelungene »Rationalisierung« eines unbewußten Motivs vorliegt, die einer gut geratenen sekundären Bearbeitung im Traume gleichzusetzen ist. In Wirklichkeit hat das *Rettungsmotiv* seine eigene Bedeutung und Geschichte und ist ein selbständiger Abkömmling des Mutter- oder, richtiger gesagt, des Elternkomplexes. Wenn das Kind hört, daß es sein Leben den Eltern *verdankt*, daß ihm die Mutter *»das Leben geschenkt«* hat, so vereinen sich bei ihm zärtliche mit großmannssüchtigen, nach Selbständigkeit ringenden Regungen, um den Wunsch entstehen zu lassen, den Eltern dieses Geschenk zurückzuerstatten, es ihnen durch ein gleichwertiges zu vergelten. Es ist, wie wenn der Trotz des Knaben sagen wollte: Ich brauche nichts vom Vater, ich will ihm alles zurückgeben, was ich ihn gekostet habe. Er bildet dann die Phantasie, *den Vater aus einer Lebensgefahr zu retten*, wodurch er mit ihm quitt wird, und diese Phantasie verschiebt sich häufig genug auf den Kaiser, König oder sonst einen großen Herrn und wird nach dieser Entstellung bewußtseinsfähig und selbst für den Dichter verwertbar. In der Anwendung auf den Vater überwiegt bei weitem der trotzige Sinn der Rettungsphantasie, der Mutter wendet sie meist ihre zärtliche Bedeutung zu. Die Mutter hat dem Kinde das Leben geschenkt, und es ist nicht leicht, dies eigenartige Geschenk durch etwas Gleichwertiges zu ersetzen. Bei geringem Bedeutungswandel, wie er im Unbewußten erleichtert ist – was man etwa dem bewußten Ineinanderfließen der Begriffe gleichstellen kann –, gewinnt das Retten der Mutter die Bedeutung von: ihr ein Kind schenken oder machen, natürlich ein Kind, wie man selbst ist. Die Entfernung vom ursprünglichen Sinne der Rettung ist keine allzu große, der Bedeutungswandel kein willkürlicher. Die Mutter hat einem ein Leben geschenkt, das eigene, und man schenkt ihr dafür ein anderes Leben, das eines Kindes, das mit dem eigenen Selbst die größte Ähnlichkeit hat. Der Sohn erweist sich dankbar, indem er sich wünscht, von der Mutter einen Sohn zu haben, der ihm selbst gleich ist, das heißt, in der Rettungsphantasie identifiziert er sich völlig mit dem Vater. Alle Triebe, die zärtlichen, dankbaren, lüsternen, trotzigen, selbstherrlichen, sind durch den einen Wunsch befriedigt, *sein eigener Vater zu sein*. Auch das Moment der Gefahr ist bei dem Bedeutungswandel nicht verlorengegangen; der Geburtsakt selbst ist nämlich die Gefahr, aus der man durch die Anstrengung der Mutter gerettet wurde. Die Geburt ist ebenso die allererste Lebensgefahr wie das Vorbild aller späteren, vor denen wir Angst empfinden, und das Erleben der Geburt hat uns wahrscheinlich den Affektausdruck, den wir Angst heißen, hinterlassen. Der Macduff der schottischen Sage, den seine Mutter nicht geboren hatte, der aus seiner Mutter Leib geschnitten wurde, hat darum auch die Angst nicht gekannt.

Der alte Traumdeuter Artemidoros hatte sicherlich recht mit der Behauptung, der Traum wandle seinen Sinn je nach der Person des Träumers. Nach den für den Ausdruck unbewußter Gedanken geltenden Gesetzen kann das »Retten« seine Bedeutung variieren, je nachdem es von einer Frau oder von einem Manne phantasiert wird. Es kann ebensowohl bedeuten: ein Kind machen = zur Geburt bringen (für den Mann) wie: selbst ein Kind gebären (für die Frau).

Insbesondere in der Zusammensetzung mit dem Wasser lassen sich diese verschiedenen Bedeutungen des Rettens in Träumen und Phantasien deutlich erkennen. Wenn ein Mann im Traume eine Frau aus dem Wasser rettet, so heißt das: er macht sie zur Mutter, was nach den vorstehenden Erörterungen gleichsinnig ist dem Inhalte: er macht sie zu seiner Mutter. Wenn eine Frau einen anderen (ein

Kind) aus dem Wasser rettet, so bekennt sie sich damit wie die Königstochter in der Mosessage[1] als seine Mutter, die ihn geboren hat.

Gelegentlich enthält auch die auf den Vater gerichtete Rettungsphantasie einen zärtlichen Sinn. Sie will dann den Wunsch ausdrücken, den Vater zum Sohne zu haben, das heißt einen Sohn zu haben, der so ist wie der Vater. Wegen all dieser Beziehungen des Rettungsmotivs zum Elternkomplex bildet die Tendenz, die Geliebte zu retten, einen wesentlichen Zug des hier beschriebenen Liebestypus.

Ich halte es nicht für notwendig, meine Arbeitsweise zu rechtfertigen, die hier wie bei der Aufstellung der *Analerotik* darauf hinausgeht, aus dem Beobachtungsmaterial zunächst extreme und scharf umschriebene Typen herauszuheben. Es gibt in beiden Fällen weit zahlreichere Individuen, in denen nur einzelne Züge dieses Typus oder diese nur in unscharfer Ausprägung festzustellen sind, und es ist selbstverständlich, daß erst die Darlegung des ganzen Zusammenhanges, in den diese Typen aufgenommen sind, deren richtige Würdigung ermöglicht.

1 Rank, l. c.

BEITRÄGE ZUR PSYCHOLOGIE DES LIEBESLEBENS

II

ÜBER DIE ALLGEMEINSTE ERNIEDRIGUNG DES LIEBESLEBENS

1

Wenn der psychoanalytische Praktiker sich fragt, wegen welches Leidens er am häufigsten um Hilfe angegangen wird, so muß er – absehend von der vielgestaltigen Angst – antworten: wegen psychischer Impotenz. Diese sonderbare Störung betrifft Männer von stark libidinösem Wesen und äußert sich darin, daß die Exekutivorgane der Sexualität die Ausführung des geschlechtlichen Aktes verweigern, obwohl sie sich vorher und nachher als intakt und leistungsfähig erweisen können und obwohl eine starke psychische Geneigtheit zur Ausführung des Aktes besteht. Die erste Anleitung zum Verständnis seines Zustandes erhält der Kranke selbst, wenn er die Erfahrung macht, daß ein solches Versagen nur beim Versuch mit gewissen Personen auftritt, während es bei anderen niemals in Frage kommt. Er weiß dann, daß es eine Eigenschaft des Sexualobjekts ist, von welcher die Hemmung seiner männlichen Potenz ausgeht, und berichtet manchmal, er habe die Empfindung eines Hindernisses in seinem Innern, die Wahrnehmung eines Gegenwillens, der die bewußte Absicht mit Erfolg störe. Er kann aber nicht erraten, was dies innere Hindernis ist und welche Eigenschaft des Sexualobjekts es zur Wirkung bringt. Hat er solches Versagen wiederholt erlebt, so urteilt er wohl in bekannter fehlerhafter Verknüpfung, die Erinnerung an das erste Mal habe als störende Angstvorstellung die Wiederholungen erzwungen; das erste Mal selbst führt er aber auf einen »zufälligen« Eindruck zurück.

Psychoanalytische Studien über die psychische Impotenz sind bereits von mehreren Autoren angestellt und veröffentlicht worden.[1] Jeder Analytiker kann die dort gebotenen Aufklärungen aus eigener ärztlicher Erfahrung bestätigen. Es handelt sich wirklich um die hemmende Einwirkung gewisser psychischer Komplexe, die sich der Kenntnis des Individuums entziehen. Als allgemeinster Inhalt dieses pathogenen Materials hebt sich die nicht überwundene inzestuöse Fixierung an Mutter und Schwester hervor. Außerdem ist der Einfluß von akzidentellen peinlichen Eindrücken, die sich an die infantile Sexualbetätigung knüpfen, zu berücksichtigen und jene Momente, die ganz allgemein die auf das weibliche Sexualobjekt zu richtende Libido verringern.[2]

Unterzieht man Fälle von greller psychischer Impotenz einem eindringlichen Studium mittels der Psychoanalyse, so gewinnt man folgende Auskunft über die dabei wirksamen psychosexuellen Vorgänge. Die Grundlage des Leidens ist hier wiederum – wie sehr wahrscheinlich bei allen neurotischen Störungen – eine Hemmung in der Entwicklungsgeschichte der Libido bis zu ihrer normal zu nennenden Endgestaltung. Es sind hier zwei Strömungen nicht zusammengetroffen, deren Vereinigung erst ein völlig normales Liebesverhalten sichert, zwei Strömungen, die wir als die *zärtliche* und die *sinnliche* voneinander unterscheiden können.

Von diesen beiden Strömungen ist die zärtliche die ältere. Sie stammt aus den frühesten Kinderjahren, hat sich auf Grund der Interessen des Selbsterhaltungstriebes gebildet und richtet sich auf die Personen der Familie und die Vollzieher der Kinderpflege. Sie hat von Anfang an Beiträge von den Sexualtrieben, Komponenten von erotischem Interesse mitgenommen, die schon in der Kindheit mehr oder minder deutlich sind, beim Neurotiker in allen Fällen durch die spätere Psychoanalyse aufgedeckt werden. Sie entspricht der *primären kindlichen Objektwahl.* Wir ersehen aus ihr, daß die Sexualtriebe ihre ersten Objekte in der Anlehnung an die Schätzun-

---

1 M. Steiner: Die funktionelle Impotenz des Mannes und ihre Behandlung, 1907 [*Wiener medizinische Presse*, Bd. 48, Sp. 1535]. – W. Stekel: In »Nervöse Angstzustände und ihre Behandlung«, [Berlin und] Wien 1908 (II. Auflage 1912). – Ferenczi: Analytische Deutung und Behandlung der psychosexuellen Impotenz beim Manne [richtig: des Mannes]. (Psychiat.-neurol. Wochenschrift, 1908.)

2 W. Stekel: l. c., S. 191 ff.

gen der Ichtriebe finden, geradeso, wie die ersten Sexualbefriedigungen in Anlehnung an die zur Lebenserhaltung notwendigen Körperfunktionen erfahren werden. Die »Zärtlichkeit« der Eltern und Pflegepersonen, die ihren erotischen Charakter selten verleugnet (»das Kind ein erotisches Spielzeug«), tut sehr viel dazu, die Beiträge der Erotik zu den Besetzungen der Ichtriebe beim Kinde zu erhöhen und sie auf ein Maß zu bringen, welches in der späteren Entwicklung in Betracht kommen muß, besonders wenn gewisse andere Verhältnisse dazu ihren Beistand leihen.

Diese zärtlichen Fixierungen des Kindes setzen sich durch die Kindheit fort und nehmen immer wieder Erotik mit sich, welche dadurch von ihren sexuellen Zielen abgelenkt wird. Im Lebensalter der Pubertät tritt nun die mächtige »sinnliche« Strömung hinzu, die ihre Ziele nicht mehr verkennt. Sie versäumt es anscheinend niemals, die früheren Wege zu gehen und nun mit weit stärkeren Libidobeträgen die Objekte der primären infantilen Wahl zu besetzen. Aber da sie dort auf die unterdessen aufgerichteten Hindernisse der Inzestschranke stößt, wird sie das Bestreben äußern, von diesen real ungeeigneten Objekten möglichst bald den Übergang zu anderen, fremden Objekten zu finden, mit denen sich ein reales Sexualleben durchführen läßt. Diese fremden Objekte werden immer noch nach dem Vorbild (der Imago) der infantilen gewählt werden, aber sie werden mit der Zeit die Zärtlichkeit an sich ziehen, die an die früheren gekettet war. Der Mann wird Vater und Mutter verlassen – nach der biblischen Vorschrift – und seinem Weibe nachgehen, Zärtlichkeit und Sinnlichkeit sind dann beisammen. Die höchsten Grade von sinnlicher Verliebtheit werden die höchste psychische Wertschätzung mit sich bringen. (Die normale Überschätzung des Sexualobjekts von seiten des Mannes.)

Für das Mißlingen dieses Fortschrittes im Entwicklungsgang der Libido werden zwei Momente maßgebend sein. Erstens das Maß von *realer Versagung*, welches sich der neuen Objektwahl entgegensetzen und sie für das Individuum entwerten wird. Es hat ja keinen Sinn, sich der Objektwahl zuzuwenden, wenn man überhaupt nicht wählen darf oder gar keine Aussicht hat, etwas Ordentliches wählen zu können. Zweitens das Maß der *Anziehung*, welches die zu verlassenden infantilen Objekte äußern können und das proportional ist der erotischen Besetzung, die ihnen noch in der Kindheit zuteil wurde. Sind diese beiden Faktoren stark genug, so tritt der allgemeine Mechanismus der Neurosenbildung in Wirksamkeit. Die Libido wendet sich von der Realität ab, wird von der Phantasietätigkeit aufgenommen (Introversion), verstärkt die Bilder der ersten Sexualobjekte, fixiert sich an dieselben. Das Inzesthindernis nötigt aber die diesen Objekten zugewendete Libido, im Unbewußten zu verbleiben. Die Betätigung der jetzt dem Unbewußten angehörigen sinnlichen Strömung in onanistischen Akten tut das Ihrige dazu, um diese Fixierung zu verstärken. Es ändert nichts an diesem Sachverhalt, wenn der Fortschritt nun in der Phantasie vollzogen wird, der in der Realität mißglückt ist, wenn in den zur onanistischen Befriedigung führenden Phantasiesituationen die ursprünglichen Sexualobjekte durch fremde ersetzt werden. Die Phantasien werden durch diesen Ersatz bewußtseinsfähig, an der realen Unterbringung der Libido wird ein Fortschritt nicht vollzogen.

Es kann auf diese Weise geschehen, daß die ganze Sinnlichkeit eines jungen Menschen im Unbewußten[1] an inzestuöse Objekte gebunden oder, wie wir auch sagen können, an unbewußte inzestuöse Phantasien fixiert wird. Das Ergebnis ist dann eine absolute Impotenz, die etwa noch durch die gleichzeitig erworbene wirkliche Schwächung der den Sexualakt ausführenden Organe versichert wird.

Für das Zustandekommen der eigentlich sogenannten psychischen Impotenz werden mildere Bedingungen erfordert. Die sinnliche Strömung darf nicht in ihrem ganzen Betrag dem Schicksal verfallen, sich hinter der zärtlichen verbergen zu müssen, sie muß stark oder ungehemmt genug geblieben sein, um sich zum Teil den Ausweg in die Realität zu erzwingen. Die Sexualbetätigung solcher Personen läßt aber an den deutlichsten Anzeichen erkennen, daß nicht die volle psychische Triebkraft hinter ihr steht. Sie ist launenhaft, leicht zu stören, oft in der Ausführung inkorrekt, wenig genußreich. Vor allem aber muß sie der zärtlichen Strömung ausweichen. Es ist also eine Beschränkung in der Objektwahl hergestellt worden. Die aktiv gebliebene sinnliche Strömung sucht nur nach Objekten, die

1 [In den Ausgaben vor 1924: »Unbewußtsein«.]

nicht an die ihr verpönten inzestuösen Personen mahnen; wenn von einer Person ein Eindruck ausgeht, der zu hoher psychischer Wertschätzung führen könnte, so läuft er nicht in Erregung der Sinnlichkeit, sondern in erotisch unwirksame Zärtlichkeit aus. Das Liebesleben solcher Menschen bleibt in die zwei Richtungen gespalten, die von der Kunst als himmlische und irdische (oder tierische) Liebe personifiziert werden. Wo sie lieben, begehren sie nicht, und wo sie begehren, können sie nicht lieben. Sie suchen nach Objekten, die sie nicht zu lieben brauchen, um ihre Sinnlichkeit von ihren geliebten Objekten fernzuhalten, und das sonderbare Versagen der psychischen Impotenz tritt nach den Gesetzen der »Komplexempfindlichkeit« und der »Rückkehr des Verdrängten« dann auf, wenn an dem zur Vermeidung des Inzests gewählten Objekt ein oft unscheinbarer Zug an das zu vermeidende Objekt erinnert.

Das Hauptschutzmittel gegen solche Störung, dessen sich der Mensch in dieser Liebesspaltung bedient, besteht in der psychischen *Erniedrigung* des Sexualobjektes, während die dem Sexualobjekt normalerweise zustehende Überschätzung dem inzestuösen Objekt und dessen Vertretungen reserviert wird. Sowie die Bedingung der Erniedrigung erfüllt ist, kann sich die Sinnlichkeit frei äußern, bedeutende sexuelle Leistungen und hohe Lust entwickeln. Zu diesem Ergebnis trägt noch ein anderer Zusammenhang bei. Personen, bei denen die zärtliche und die sinnliche Strömung nicht ordentlich zusammengeflossen sind, haben auch meist ein wenig verfeinertes Liebesleben; perverse Sexualziele sind bei ihnen erhalten geblieben, deren Nichterfüllung als empfindliche Lusteinbuße verspürt wird, deren Erfüllung aber nur am erniedrigten, geringgeschätzten Sexualobjekt möglich erscheint.

Die in dem ersten Beitrag[1] erwähnten Phantasien des Knaben, welche die Mutter zur Dirne herabsetzen, werden nun nach ihren Motiven verständlich. Es sind Bemühungen, die Kluft zwischen den beiden Strömungen des Liebeslebens wenigstens in der Phantasie zu überbrucken, die Mutter durch Erniedrigung zum Objekt für die Sinnlichkeit zu gewinnen.

---

1 S. 99 [oben].

2

Wir haben uns bisher mit einer ärztlich-psychologischen Untersuchung der psychischen Impotenz beschäftigt, welche in der Überschrift dieser Abhandlung keine Rechtfertigung findet. Es wird sich aber zeigen, daß wir dieser Einleitung bedurft haben, um den Zugang zu unserem eigentlichen Thema zu gewinnen.
Wir haben die psychische Impotenz reduziert auf das Nichtzusammentreffen der zärtlichen und der sinnlichen Strömung im Liebesleben und diese Entwicklungshemmung selbst erklärt durch die Einflüsse der starken Kindheitsfixierungen und der späteren Versagung in der Realität bei Dazwischenkunft der Inzestschranke. Gegen diese Lehre ist vor allem eines einzuwenden: sie gibt uns zuviel, sie erklärt uns, warum gewisse Personen an psychischer Impotenz leiden, läßt uns aber rätselhaft erscheinen, daß andere diesem Leiden entgehen konnten. Da alle in Betracht kommenden ersichtlichen Momente, die starke Kindheitsfixierung, die Inzestschranke und die Versagung in den Jahren der Entwicklung nach der Pubertät, bei so ziemlich allen Kulturmenschen als vorhanden anzuerkennen sind, wäre die Erwartung berechtigt, daß die psychische Impotenz ein allgemeines Kulturleiden und nicht die Krankheit einzelner sei.
Es läge nahe, sich dieser Folgerung dadurch zu entziehen, daß man auf den quantitativen Faktor der Krankheitsverursachung hinweist, auf jenes Mehr oder Minder im Beitrag der einzelnen Momente, von dem es abhängt, ob ein kenntlicher Krankheitserfolg zustande kommt oder nicht. Aber obwohl ich diese Antwort als richtig anerkennen möchte, habe ich doch nicht die Absicht, die Folgerung selbst hiemit abzuweisen. Ich will im Gegenteil die Behauptung aufstellen, daß die psychische Impotenz weit verbreiteter ist, als man glaubt, und daß ein gewisses Maß dieses Verhaltens tatsächlich das Liebesleben des Kulturmenschen charakterisiert.
Wenn man den Begriff der psychischen Impotenz weiter faßt und ihn nicht mehr auf das Versagen der Koitusaktion bei vorhandener Lustabsicht und bei intaktem Genitalapparat einschränkt, so kommen zunächst alle jene Männer hinzu, die man als Psychanästhetiker bezeichnet, denen die Aktion nie versagt, die sie aber ohne besonderen Lustgewinn vollziehen; Vorkommnisse, die häufiger sind, als

man glauben möchte. Die psychoanalytische Untersuchung solcher Fälle deckt die nämlichen ätiologischen Momente auf, welche wir bei der psychischen Impotenz im engeren Sinne gefunden haben, ohne daß die symptomatischen Unterschiede zunächst eine Erklärung finden. Von den anästhetischen Männern führt eine leicht zu rechtfertigende Analogie zur ungeheuren Anzahl der frigiden Frauen, deren Liebesverhalten tatsächlich nicht besser beschrieben oder verstanden werden kann als durch die Gleichstellung mit der geräuschvolleren psychischen Impotenz des Mannes.[1]

Wenn wir aber nicht nach einer Erweiterung des Begriffes der psychischen Impotenz, sondern nach den Abschattungen ihrer Symptomatologie ausschauen, dann können wir uns der Einsicht nicht verschließen, daß das Liebesverhalten des Mannes in unserer heutigen Kulturwelt überhaupt den Typus der psychischen Impotenz an sich trägt. Die zärtliche und die sinnliche Strömung sind bei den wenigsten unter den Gebildeten gehörig miteinander verschmolzen; fast immer fühlt sich der Mann in seiner sexuellen Betätigung durch den Respekt vor dem Weibe beengt und entwickelt seine volle Potenz erst, wenn er ein erniedrigtes Sexualobjekt vor sich hat, was wiederum durch den Umstand mitbegründet ist, daß in seine Sexualziele perverse Komponenten eingehen, die er am geachteten Weibe zu befriedigen sich nicht getraut. Einen vollen sexuellen Genuß gewährt es ihm nur, wenn er sich ohne Rücksicht der Befriedigung hingeben darf, was er zum Beispiel bei seinem gesitteten Weibe nicht wagt. Daher rührt dann sein Bedürfnis nach einem erniedrigten Sexualobjekt, einem Weibe, das ethisch minderwertig ist, dem er ästhetische Bedenken nicht zuzutrauen braucht, das ihn nicht in seinen anderen Lebensbeziehungen kennt und beurteilen kann. Einem solchen Weibe widmet er am liebsten seine sexuelle Kraft, auch wenn seine Zärtlichkeit durchaus einem höherstehenden gehört. Möglicherweise ist auch die so häufig zu beobachtende Neigung von Männern der höchsten Gesellschaftsklassen, ein Weib aus niederem Stande zur dauernden Geliebten oder selbst zur Ehefrau zu wählen, nichts anderes als die Folge des Bedürfnisses nach dem

1 Wobei gerne zugestanden sein soll, daß die Frigidität der Frau ein komplexes, auch von anderer Seite her zugängliches Thema ist.

erniedrigten Sexualobjekt, mit welchem psychologisch die Möglichkeit der vollen Befriedigung verknüpft ist.
Ich stehe nicht an, die beiden bei der echten psychischen Impotenz wirksamen Momente, die intensive inzestuöse Fixierung der Kindheit und die reale Versagung der Jünglingszeit, auch für dies so häufige Verhalten der kulturellen Männer im Liebesleben verantwortlich zu machen. Es klingt wenig anmutend und überdies paradox, aber es muß doch gesagt werden, daß, wer im Liebesleben wirklich frei und damit auch glücklich werden soll, den Respekt vor dem Weibe überwunden, sich mit der Vorstellung des Inzests mit Mutter oder Schwester befreundet haben muß. Wer sich dieser Anforderung gegenüber einer ernsthaften Selbstprüfung unterwirft, wird ohne Zweifel in sich finden, daß er den Sexualakt im Grunde doch als etwas Erniedrigendes beurteilt, was nicht nur leiblich befleckt und verunreinigt. Die Entstehung dieser Wertung, die er sich gewiß nicht gerne bekennt, wird er nur in jener Zeit seiner Jugend suchen können, in welcher seine sinnliche Strömung bereits stark entwikkelt, ihre Befriedigung aber am fremden Objekt fast ebenso verboten war wie die am inzestuösen.
Die Frauen stehen in unserer Kulturwelt unter einer ähnlichen Nachwirkung ihrer Erziehung und überdies unter der Rückwirkung des Verhaltens der Männer. Es ist für sie natürlich ebensowenig günstig, wenn ihnen der Mann nicht mit seiner vollen Potenz entgegentritt, wie wenn die anfängliche Überschätzung der Verliebtheit nach der Besitzergreifung von Geringschätzung abgelöst wird. Von einem Bedürfnis nach Erniedrigung des Sexualobjekts ist bei der Frau wenig zu bemerken; im Zusammenhange damit steht es gewiß, wenn sie auch etwas der Sexualüberschätzung beim Manne Ähnliches in der Regel nicht zustande bringt. Die lange Abhaltung von der Sexualität und das Verweilen der Sinnlichkeit in der Phantasie hat für sie aber eine andere bedeutsame Folge. Sie kann dann oft die Verknüpfung der sinnlichen Betätigung mit dem Verbot nicht mehr auflösen und erweist sich als psychisch impotent, d. h. frigid, wenn ihr solche Betätigung endlich gestattet wird. Daher rührt bei vielen Frauen das Bestreben, das Geheimnis noch bei erlaubten Beziehungen eine Weile festzuhalten, bei anderen die Fähigkeit, normal zu empfinden, sobald die Bedingung des Verbots in einem gehei-

men Liebesverhältnis wiederhergestellt ist; dem Manne untreu, sind sie imstande, dem Liebhaber eine Treue zweiter Ordnung zu bewahren.

Ich meine, die Bedingung des Verbotenen im weiblichen Liebesleben ist dem Bedürfnis nach Erniedrigung des Sexualobjekts beim Manne gleichzustellen. Beide sind Folgen des langen Aufschubes zwischen Geschlechtsreife und Sexualbetätigung, den die Erziehung aus kulturellen Gründen fordert. Beide suchen die psychische Impotenz aufzuheben, welche aus dem Nichtzusammentreffen zärtlicher und sinnlicher Regungen resultiert. Wenn der Erfolg der nämlichen Ursachen beim Weibe so sehr verschieden von dem beim Manne ausfällt, so läßt sich dies vielleicht auf einen anderen Unterschied im Verhalten der beiden Geschlechter zurückführen. Das kulturelle Weib pflegt das Verbot der Sexualbetätigung während der Wartezeit nicht zu überschreiten und erwirbt so die innige Verknüpfung zwischen Verbot und Sexualität. Der Mann durchbricht zumeist dieses Verbot unter der Bedingung der Erniedrigung des Objekts und nimmt daher diese Bedingung in sein späteres Liebesleben mit.

Angesichts der in der heutigen Kulturwelt so lebhaften Bestrebungen nach einer Reform des Sexuallebens ist es nicht überflüssig, daran zu erinnern, daß die psychoanalytische Forschung Tendenzen so wenig kennt wie irgendeine andere. Sie will nichts anderes als Zusammenhänge aufdecken, indem sie Offenkundiges auf Verborgenes zurückführt. Es soll ihr dann recht sein, wenn die Reformen sich ihrer Ermittlungen bedienen, um Vorteilhafteres an Stelle des Schädlichen zu setzen. Sie kann aber nicht vorhersagen, ob andere Institutionen nicht andere, vielleicht schwerere Opfer zur Folge haben müßten.

3

Die Tatsache, daß die kulturelle Zügelung des Liebeslebens eine allgemeinste Erniedrigung der Sexualobjekte mit sich bringt, mag uns veranlassen, unseren Blick von den Objekten weg auf die Triebe selbst zu lenken. Der Schaden der anfänglichen Versagung des Sexualgenusses äußert sich darin, daß dessen spätere Freigebung in der Ehe nicht mehr voll befriedigend wirkt. Aber auch die uneingeschränkte Sexualfreiheit von Anfang an führt zu keinem besseren Ergebnis. Es ist leicht festzustellen, daß der psychische Wert des Liebesbedürfnisses sofort sinkt, sobald ihm die Befriedigung bequem gemacht wird. Es bedarf eines Hindernisses, um die Libido in die Höhe zu treiben, und wo die natürlichen Widerstände gegen die Befriedigung nicht ausreichen, haben die Menschen zu allen Zeiten konventionelle eingeschaltet, um die Liebe genießen zu können. Dies gilt für Individuen wie für Völker. In Zeiten, in denen die Liebesbefriedigung keine Schwierigkeiten fand, wie etwa während des Niederganges der antiken Kultur, wurde die Liebe wertlos, das Leben leer, und es bedurfte starker Reaktionsbildungen, um die unentbehrlichen Affektwerte wiederherzustellen. In diesem Zusammenhange kann man behaupten, daß die asketische Strömung des Christentums für die Liebe psychische Wertungen geschaffen hat, die ihr das heidnische Altertum nie verleihen konnte. Zur höchsten Bedeutung gelangte sie bei den asketischen Mönchen, deren Leben fast allein von dem Kampfe gegen die libidinöse Versuchung ausgefüllt war.

Man ist gewiß zunächst geneigt, die Schwierigkeiten, die sich hier ergeben, auf allgemeine Errungenschaften unserer organischen Triebe zurückzuführen. Es ist gewiß auch allgemein richtig, daß die psychische Bedeutung eines Triebes mit seiner Versagung steigt. Man versuche es, eine Anzahl der allerdifferenziertesten Menschen gleichmäßig dem Hungern auszusetzen. Mit der Zunahme des gebieterischen Nahrungsbedürfnisses werden alle individuellen Differenzen sich verwischen und an ihrer Statt die uniformen Äußerungen des einen ungestillten Triebes auftreten. Aber trifft es auch zu, daß mit der Befriedigung eines Triebes sein psychischer Wert allgemein so sehr herabsinkt? Man denke z. B. an das Verhältnis des Trinkers zum Wein. Ist es nicht richtig, daß dem Trinker der Wein immer die gleiche toxische Befriedigung bietet, die man mit der erotischen so oft in der Poesie verglichen hat und auch vom Standpunkte der wissenschaftlichen Auffassung vergleichen darf? Hat man je davon gehört, daß der Trinker genötigt ist, sein Getränk beständig zu wechseln, weil ihm das gleichbleibende bald nicht mehr schmeckt? Im Gegenteil, die Gewöhnung knüpft das Band zwischen dem Manne und der Sorte Wein, die er trinkt, immer enger. Kennt man beim Trinker ein Bedürfnis, in ein Land zu gehen, in dem der Wein teurer oder der Weingenuß verboten ist, um seiner sinkenden Befriedigung durch die Einschiebung solcher Erschwerungen aufzuhelfen? Nichts von alldem. Wenn man die Äußerungen unserer großen Alkoholiker, z. B. Böcklins, über ihr Verhältnis zum Wein anhört[1], es klingt wie die reinste Harmonie, ein Vorbild einer glücklichen Ehe. Warum ist das Verhältnis des Liebenden zu seinem Sexualobjekt so sehr anders?

Ich glaube, man müßte sich, so befremdend es auch klingt, mit der Möglichkeit beschäftigen, daß etwas in der Natur des Sexualtriebes selbst dem Zustandekommen der vollen Befriedigung nicht günstig ist. Aus der langen und schwierigen Entwicklungsgeschichte des Triebes heben sich sofort zwei Momente hervor, die man für solche Schwierigkeit verantwortlich machen könnte. Erstens ist infolge des zweimaligen Ansatzes zur Objektwahl mit Dazwischenkunft der Inzestschranke das endgültige Objekt des Sexualtriebes nie mehr das ursprüngliche, sondern nur ein Surrogat dafür. Die Psychoanalyse hat uns aber gelehrt: wenn das ursprüngliche Objekt einer Wunschregung infolge von Verdrängung verlorengegangen ist, so wird es häufig durch eine unendliche Reihe von Ersatzobjekten vertreten, von denen doch keines voll genügt. Dies mag uns die Unbeständigkeit in der Objektwahl, den »Reizhunger« erklären, der dem Liebesleben der Erwachsenen so häufig eignet.

Zweitens wissen wir, daß der Sexualtrieb anfänglich in eine große Reihe von Komponenten zerfällt – vielmehr aus einer solchen hervorgeht –, von denen nicht alle in dessen spätere Gestaltung aufgenommen werden können, sondern vorher unterdrückt oder anders verwendet werden müssen. Es sind vor allem die koprophilen Triebanteile, die sich als unverträglich mit unserer ästhetischen Kultur erwiesen, wahrscheinlich, seitdem wir durch den aufrechten Gang unser Riechorgan von der Erde abgehoben haben; ferner ein gutes Stück der sadistischen Antriebe, die zum Liebesleben gehö-

1 G. Floerke: Zehn Jahre mit Böcklin. 2. Aufl. [München] 1902, S. 16.

ren. Aber alle solche Entwicklungsvorgänge betreffen nur die oberen Schichten der komplizierten Struktur. Die fundamentellen Vorgänge, welche die Liebeserregung liefern, bleiben ungeändert. Das Exkrementelle ist allzu innig und untrennbar mit dem Sexuellen verwachsen, die Lage der Genitalien – inter urinas et faeces – bleibt das bestimmende unveränderliche Moment. Man könnte hier, ein bekanntes Wort des großen Napoleon variierend, sagen: die Anatomie ist das Schicksal. Die Genitalien selbst haben die Entwicklung der menschlichen Körperformen zur Schönheit nicht mitgemacht, sie sind tierisch geblieben, und so ist auch die Liebe im Grunde heute ebenso animalisch, wie sie es von jeher war. Die Liebestriebe sind schwer erziehbar, ihre Erziehung ergibt bald zuviel, bald zuwenig. Das, was die Kultur aus ihnen machen will, scheint ohne fühlbare Einbuße an Lust nicht erreichbar, die Fortdauer der unverwerteten Regungen gibt sich bei der Sexualtätigkeit als Unbefriedigung zu erkennen.

So müßte man sich denn vielleicht mit dem Gedanken befreunden, daß eine Ausgleichung der Ansprüche des Sexualtriebes mit den Anforderungen der Kultur überhaupt nicht möglich ist, daß Verzicht und Leiden sowie in weitester Ferne die Gefahr des Erlöschens des Menschengeschlechts infolge seiner Kulturentwicklung nicht abgewendet werden können. Diese trübe Prognose ruht allerdings auf der einzigen Vermutung, daß die kulturelle Unbefriedigung die notwendige Folge gewisser Besonderheiten ist, welche der Sexualtrieb unter dem Drucke der Kultur angenommen hat. Die nämliche Unfähigkeit des Sexualtriebes, volle Befriedigung zu ergeben, sobald er den ersten Anforderungen der Kultur unterlegen ist, wird aber zur Quelle der großartigsten Kulturleistungen, welche durch immer weitergehende Sublimierung seiner Triebkomponenten bewerkstelligt werden. Denn welches Motiv hätten die Menschen, sexuelle Triebkräfte anderen Verwendungen zuzuführen, wenn sich aus denselben bei irgendeiner Verteilung volle Lustbefriedigung ergeben hätte? Sie kämen von dieser Lust nicht wieder los und brächten keinen weiteren Fortschritt zustande. So scheint es, daß sie durch die unausgleichbare Differenz zwischen den Anforderungen der beiden Triebe – des sexuellen und des egoistischen – zu immer höheren Leistungen befähigt werden, allerdings unter einer ständigen

Gefährdung, welcher die Schwächeren gegenwärtig in der Form der Neurose erliegen.

Die Wissenschaft hat weder die Absicht zu schrecken noch zu trösten. Aber ich bin selbst gern bereit zuzugeben, daß so weittragende Schlußfolgerungen wie die obenstehenden auf breiterer Basis aufgebaut sein sollten und daß vielleicht andere Entwicklungseinrichtungen der Menschheit das Ergebnis der hier isoliert behandelten zu korrigieren vermögen.

BEITRÄGE ZUR PSYCHOLOGIE DES LIEBESLEBENS

III
DAS TABU DER VIRGINITÄT

Wenige Einzelheiten des Sexuallebens primitiver Völker wirken so befremdend auf unser Gefühl wie deren Einschätzung der Virginität, der weiblichen Unberührtheit. Uns erscheint die Wertschätzung der Virginität von seiten des werbenden Mannes so feststehend und selbstverständlich, daß wir beinahe in Verlegenheit geraten, wenn wir dieses Urteil begründen sollen. Die Forderung, das Mädchen dürfe in die Ehe mit dem einen Manne nicht die Erinnerung an Sexualverkehr mit einem anderen mitbringen, ist ja nichts anderes als die konsequente Fortführung des ausschließlichen Besitzrechtes auf ein Weib, welches das Wesen der Monogamie ausmacht, die Erstreckung dieses Monopols auf die Vergangenheit.

Es fällt uns dann nicht schwer, was zuerst ein Vorurteil zu sein schien, aus unseren Meinungen über das Liebesleben des Weibes zu rechtfertigen. Wer zuerst die durch lange Zeit mühselig zurückgehaltene Liebessehnsucht der Jungfrau befriedigt und dabei die Widerstände überwunden hat, die in ihr durch die Einflüsse von Milieu und Erziehung aufgebaut waren, der wird von ihr in ein dauerndes Verhältnis gezogen, dessen Möglichkeit sich keinem anderen mehr eröffnet. Auf Grund dieses Erlebnisses stellt sich bei der Frau ein Zustand von Hörigkeit her, der die ungestörte Fortdauer ihres Besitzes verbürgt und sie widerstandsfähig macht gegen neue Eindrücke und fremde Versuchungen.

Den Ausdruck »geschlechtliche Hörigkeit« hat 1892 v. Krafft-Ebing[1] zur Bezeichnung der Tatsache gewählt, daß eine Person

---

1 v. Krafft-Ebing: Bemerkungen über »geschlechtliche Hörigkeit« und Masochismus. (Jahrbücher für Psychiatrie, X. Bd., 1892.)

einen ungewöhnlich hohen Grad von Abhängigkeit und Unselbständigkeit gegen eine andere Person erwerben kann, mit welcher sie im Sexualverkehr steht. Diese Hörigkeit kann gelegentlich sehr weit gehen, bis zum Verlust jedes selbständigen Willens und bis zur Erduldung der schwersten Opfer am eigenen Interesse; der Autor hat aber nicht versäumt zu bemerken, daß ein gewisses Maß solcher Abhängigkeit »durchaus notwendig ist, wenn die Verbindung einige Dauer haben soll«. Ein solches Maß von sexueller Hörigkeit ist in der Tat unentbehrlich zur Aufrechterhaltung der kulturellen Ehe und zur Hintanhaltung der sie bedrohenden polygamen Tendenzen, und in unserer sozialen Gemeinschaft wird dieser Faktor regelmäßig in Anrechnung gebracht.

Ein »ungewöhnlicher Grad von Verliebtheit und Charakterschwäche« einerseits, uneingeschränkter Egoismus beim anderen Teil, aus diesem Zusammentreffen leitet v. Krafft-Ebing die Entstehung der sexuellen Hörigkeit ab. Analytische Erfahrungen gestatten es aber nicht, sich mit diesem einfachen Erklärungsversuch zu begnügen. Man kann vielmehr erkennen, daß die Größe des überwundenen Sexualwiderstandes das entscheidende Moment ist, dazu die Konzentration und Einmaligkeit des Vorganges der Überwindung. Die Hörigkeit ist demgemäß ungleich häufiger und intensiver beim Weibe als beim Manne, bei letzterem aber in unseren Zeiten immerhin häufiger als in der Antike. Wo wir die sexuelle Hörigkeit bei Männern studieren konnten, erwies sie sich als Erfolg der Überwindung einer psychischen Impotenz durch ein bestimmtes Weib, an welches der betreffende Mann von da an gebunden blieb. Viele auffällige Eheschließungen und manches tragische Schicksal – selbst von weitreichendem Belange – scheint in diesem Hergange seine Aufklärung zu finden.

Das nun zu erwähnende Verhalten primitiver Völker beschreibt man nicht richtig, wenn man aussagt, sie legten keinen Wert auf die Virginität, und zum Beweise dafür vorbringt, daß sie die Defloration der Mädchen außerhalb der Ehe und vor dem ersten ehelichen Verkehre vollziehen lassen. Es scheint im Gegenteile, daß auch für sie die Defloration ein bedeutungsvoller Akt ist, aber sie ist Gegenstand eines Tabu, eines religiös zu nennenden Verbotes, geworden. Anstatt sie dem Bräutigam und späteren Ehegatten des Mädchens vorzubehalten, fordert die Sitte, daß *dieser einer solchen Leistung ausweiche.*[1]

Es liegt nicht in meiner Absicht, die literarischen Zeugnisse für den Bestand dieses Sittenverbotes vollständig zu sammeln, die geographische Verbreitung desselben zu verfolgen und alle Formen, in denen es sich äußert, aufzuzählen. Ich begnüge mich also mit der Feststellung, daß eine solche, außerhalb der späteren Ehe fallende Beseitigung des Hymens bei den heute lebenden primitiven Völkern etwas sehr Verbreitetes ist. So äußert Crawley[2]: *This marriage ceremony consists in perforation of the hymen by some appointed person other than the husband; it is common in the lowest stages of culture, especially in Australia.*

Wenn aber die Defloration nicht durch den ersten ehelichen Verkehr erfolgen soll, so muß sie vorher – auf irgendeine Weise und von irgendwelcher Seite – vorgenommen worden sein. Ich werde einige Stellen aus Crawleys obenerwähntem Buche anführen, welche über diese Punkte Auskunft geben, die uns aber auch zu einigen kritischen Bemerkungen berechtigen.[3]

S. 191: »Bei den Dieri und einigen Nachbarstämmen (in Australien) ist es allgemeiner Brauch, das Hymen zu zerstören, wenn das Mädchen die Pubertät erreicht hat. Bei den Portland- und Glenelg-Stämmen fällt es einer alten Frau zu, dies bei der Braut zu tun, und mitunter werden auch weiße Männer in solcher Absicht aufgefordert, Mädchen zu entjungfern.«[4]

S. 307: »Die absichtliche Zerreißung des Hymens wird manchmal in

1 [E.] Crawley: The mystic rose, a study of primitive marriage, London 1902; [M.] Bartels [und H. H.] Ploß: Das Weib in der Natur- und Völkerkunde, [Leipzig] 1891; verschiedene Stellen in [J. G.] Frazer: Taboo and the perils of the soul [(*The Golden Bough*, 3. Aufl., Teil II), London 1911], und Havelock Ellis: Studies in the psychology of sex [Vol. VI: *Sex in Relation to Society*, Philadelphia 1910].

2 l. c., S. 347.

3 [Fehler in diesen Zitaten sind hier berichtigt worden.]

4 »*Thus in the Dieri and neighbouring tribes (in Australia) it is the universal custom when a girl reaches puberty to rupture the hymen.* (Journ. Anthrop. Inst., XXIV, 169.) *In the Portland and Glenelg tribes this is done to the bride by an old woman; and sometimes white men are asked for this reason to deflower maidens.* (Brough Smith, op. cit., II, 319.)«

der Kindheit, gewöhnlich aber zur Zeit der Pubertät ausgeführt... Sie wird oft – wie in Australien – mit einem offiziellen Begattungsakte kombiniert.«[1]

S. 348: (Von australischen Stämmen, bei denen die bekannten exogamischen Heiratsbeschränkungen bestehen, nach Mitteilung von Spencer und Gillen): »Das Hymen wird künstlich durchbohrt, und die Männer, die bei dieser Operation zugegen waren, führen dann in festgesetzter Reihenfolge einen (wohlgemerkt: zeremoniellen) Koitus mit dem Mädchen aus... Der ganze Vorgang hat sozusagen zwei Akte: Die Zerstörung des Hymens und darauf den Geschlechtsverkehr.«[2]

S. 349: »Bei den Massai (im äquatorialen Afrika) gehört die Vornahme dieser Operation zu den wichtigsten Vorbereitungen für die Ehe. Bei den Sakais (Malaien), den Battas (Sumatra) und den Alfoers auf Celebes wird die Defloration vom Vater der Braut ausgeführt. Auf den Philippinen gab es bestimmte Männer, die den Beruf hatten, Bräute zu deflorieren, falls das Hymen nicht schon in der Kindheit von einer dazu beauftragten alten Frau zerstört worden war. Bei einigen Eskimostämmen wurde die Entjungferung der Braut dem *Angekok* oder Priester überlassen.«[3]

Die Bemerkungen, die ich angekündigt habe, beziehen sich auf zwei Punkte. Es ist erstens zu bedauern, daß in diesen Angaben nicht

---

1 »*The artificial rupture of the hymen sometimes takes place in infancy, but generally at puberty... It is often combined, as in Australia, with a ceremonial act of intercourse.*«

2 »*The hymen is artificially perforated, and then the assisting men have access (ceremonial, be it observed) to the girl in a stated order... The act is in two parts, perforation and intercourse.*«

3 *An important preliminary of marriage amongst the Masai (in Equatorial Africa) is the performance of this operation on the girl.* (J. Thompson, op. cit., 258.) *This defloration is performed by the father of the bride amongst the Sakais (Malay), Battas (Sumatra) and Alfoers of Celebes.* (Ploß u. Bartels, op. cit. II, 490.) *In the Philippines there were certain men whose profession it was to deflower brides, in case the hymen had not been ruptured in childhood by an old woman who was sometimes employed for this.* (Featherman, op. cit. II, 474.) *The defloration of the bride was amongst some Eskimo tribes entrusted to the angekok, or priest.* (id. III, 406.)

sorgfältiger zwischen der bloßen Zerstörung des Hymens ohne Koitus und dem Koitus zum Zwecke solcher Zerstörung unterschieden wird. Nur an einer Stelle hörten wir ausdrücklich, daß der Vorgang sich in zwei Akte zerlegt, in die (manuelle oder instrumentale) Defloration und den darauffolgenden Geschlechtsakt. Das sonst sehr reichliche Material bei Bartels-Ploß wird für unsere Zwecke nahezu unbrauchbar, weil in dieser Darstellung die psychologische Bedeutsamkeit des Deflorationsaktes gegen dessen anatomischen Erfolg völlig verschwindet. Zweitens möchte man gerne darüber belehrt werden, wodurch sich der »zeremonielle« (rein formale, feierliche, offizielle) Koitus bei diesen Gelegenheiten vom regelrechten Geschlechtsverkehr unterscheidet. Die Autoren, zu denen ich Zugang hatte, waren entweder zu schämig, sich darüber zu äußern, oder haben wiederum die psychologische Bedeutung solcher sexueller Details unterschätzt. Wir können hoffen, daß die Originalberichte der Reisenden und Missionäre ausführlicher und unzweideutiger sind, aber bei der heutigen Unzugänglichkeit[1] dieser meist fremdländischen Literatur kann ich nichts Sicheres darüber sagen. Übrigens darf man sich über die Zweifel in diesem zweiten Punkte mit der Erwägung hinwegsetzen, daß ein zeremonieller Scheinkoitus doch nur den Ersatz und vielleicht die Ablösung für einen in früheren Zeiten voll ausgeführten darstellen würde.[2]

Zur Erklärung dieses Tabu der Virginität kann man verschiedenartige Momente heranziehen, die ich in flüchtiger Darstellung würdigen will. Bei der Defloration der Mädchen wird in der Regel Blut vergossen; der erste Erklärungsversuch beruft sich denn auch auf die Blutscheu der Primitiven, die das Blut für den Sitz des Lebens halten. Dieses Bluttabu ist durch vielfache Vorschriften, die mit der Sexualität nichts zu tun haben, erwiesen, es hängt offenbar mit dem Verbote, nicht zu morden, zusammen und bildet eine Schutzwehr gegen den ursprünglichen Blutdurst, die Mordlust des Urmenschen.

---

1 [Durch den Ersten Weltkrieg bedingt.]

2 Für zahlreiche andere Fälle von Hochzeitszeremoniell leidet es keinen Zweifel, daß anderen Personen als dem Bräutigam, z. B. den Gehilfen und Gefährten desselben (den »Kranzelherren« unserer Sitte), die sexuelle Verfügung über die Braut voll eingeräumt wird.

Bei dieser Auffassung wird das Tabu der Virginität mit dem fast ausnahmslos eingehaltenen Tabu der Menstruation zusammengebracht. Der Primitive kann das rätselhafte Phänomen des blutigen Monatsflusses nicht von sadistischen Vorstellungen fernehalten. Die Menstruation, zumal die erste, deutet er als den Biß eines geisterhaften Tieres, vielleicht als Zeichen des sexuellen Verkehrs mit diesem Geist. Gelegentlich gestattet ein Bericht, diesen Geist als den eines Ahnen zu erkennen, und dann verstehen wir in Anlehnung an andere Einsichten[1], daß das menstruierende Mädchen als Eigentum dieses Ahnengeistes tabu ist.

Von anderer Seite werden wir aber gewarnt, den Einfluß eines Moments wie die Blutscheu nicht zu überschätzen. Diese hat es doch nicht vermocht, Gebräuche wie die Beschneidung der Knaben und die noch grausamere der Mädchen (Exzision der Klitoris und der kleinen Labien), die zum Teile bei den nämlichen Völkern geübt werden, zu unterdrücken oder die Geltung von anderem Zeremoniell, bei dem Blut vergossen wird, aufzuheben. Es wäre also auch nicht zu verwundern, wenn sie bei der ersten Kohabitation zugunsten des Ehemannes überwunden würde.

Eine zweite Erklärung sieht gleichfalls vom Sexuellen ab, greift aber viel weiter ins Allgemeine aus. Sie führt an, daß der Primitive die Beute einer beständig lauernden Angstbereitschaft ist, ganz ähnlich, wie wir es in der psychoanalytischen Neurosenlehre vom Angstneurotiker behaupten. Diese Angstbereitschaft wird sich am stärksten bei allen Gelegenheiten zeigen, die irgendwie vom Gewohnten abweichen, die etwas Neues, Unerwartetes, Unverstandenes, Unheimliches mit sich bringen. Daher stammt auch das weit in die späteren Religionen hineinreichende Zeremoniell, das mit dem Beginne jeder neuen Verrichtung, dem Anfange jedes Zeitabschnittes, dem Erstlingsertrag von Mensch, Tier und Frucht verknüpft ist. Die Gefahren, von denen sich der Ängstliche bedroht glaubt, treten niemals stärker in seiner Erwartung auf als zu Beginn der gefahrvollen Situation, und dann ist es auch allein zweckmäßig, sich gegen sie zu schützen. Der erste Sexualverkehr in der Ehe hat nach seiner Bedeu-

---

1 Siehe Totem und Tabu, 1912–13 [*Gesammelte Werke,* Bd. 9, insbes. S. 171 bis 174].

tung gewiß einen Anspruch darauf, von diesen Vorsichtsmaßregeln eingeleitet zu werden. Die beiden Erklärungsversuche, der aus der Blutscheu und der aus der Erstlingsangst, widersprechen einander nicht, verstärken einander vielmehr. Der erste Sexualverkehr ist gewiß ein bedenklicher Akt, um so mehr, wenn bei ihm Blut fließen muß.

Eine dritte Erklärung – es ist die von Crawley bevorzugte – macht darauf aufmerksam, daß das Tabu der Virginität in einen großen, das ganze Sexualleben umfassenden Zusammenhang gehört. Nicht nur der erste Koitus mit dem Weibe ist tabu, sondern der Sexualverkehr überhaupt; beinahe könnte man sagen, das Weib sei im ganzen tabu. Das Weib ist nicht nur tabu in den besonderen, aus seinem Geschlechtsleben abfolgenden Situationen der Menstruation, der Schwangerschaft, der Entbindung und des Kindbettes, auch außerhalb derselben unterliegt der Verkehr mit dem Weibe so ernsthaften und so reichlichen Einschränkungen, daß wir allen Grund haben, die angebliche Sexualfreiheit der Wilden zu bezweifeln. Es ist richtig, daß die Sexualität der Primitiven bei bestimmten Anlässen sich über alle Hemmungen hinaussetzt; gewöhnlich aber scheint sie stärker durch Verbote eingeschnürt als auf höheren Kulturstufen. Sowie der Mann etwas Besonderes unternimmt, eine Expedition, eine Jagd, einen Kriegszug, muß er sich vom Weibe, zumal vom Sexualverkehr mit dem Weibe fernhalten; es würde sonst seine Kraft lähmen und ihm Mißerfolg bringen. Auch in den Gebräuchen des täglichen Lebens ist ein Streben nach dem Auseinanderhalten der Geschlechter unverkennbar. Weiber leben mit Weibern, Männer mit Männern zusammen; ein Familienleben in unserem Sinne soll es bei vielen primitiven Stämmen kaum geben. Die Trennung geht mitunter so weit, daß das eine Geschlecht die persönlichen Namen des anderen Geschlechts nicht aussprechen darf, daß die Frauen eine Sprache mit besonderem Wortschatze entwickeln. Das sexuelle Bedürfnis darf diese Trennungsschranken immer wieder von neuem durchbrechen, aber bei manchen Stämmen müssen selbst die Zusammenkünfte der Ehegatten außerhalb des Hauses und im geheimen stattfinden.

Wo der Primitive ein Tabu hingesetzt hat, da fürchtet er eine Gefahr, und es ist nicht abzuweisen, daß sich in all diesen Vermeidungsvorschriften eine prinzipielle Scheu vor dem Weibe äußert. Vielleicht ist diese Scheu darin begründet, daß das Weib anders ist als der Mann, ewig unverständlich und geheimnisvoll, fremdartig und darum feindselig erscheint. Der Mann fürchtet, vom Weibe geschwächt, mit dessen Weiblichkeit angesteckt zu werden und sich dann untüchtig zu zeigen. Die erschlaffende, Spannungen lösende Wirkung des Koitus mag für diese Befürchtung vorbildlich sein, und die Wahrnehmung des Einflusses, den das Weib durch den Geschlechtsverkehr auf den Mann gewinnt, die Rücksicht, die es sich dadurch erzwingt, die Ausbreitung dieser Angst rechtfertigen. An all dem ist nichts, was veraltet wäre, was nicht unter uns weiterlebte.

Viele Beobachter der heute lebenden Primitiven haben das Urteil gefällt, daß deren Liebesstreben verhältnismäßig schwach sei und niemals die Intensitäten erreiche, die wir bei der Kulturmenschheit zu finden gewohnt sind. Andere haben dieser Schätzung widersprochen, aber jedenfalls zeugen die aufgezählten Tabugebräuche von der Existenz einer Macht, die sich der Liebe widersetzt, indem sie das Weib als fremd und feindselig ablehnt.

In Ausdrücken, welche sich nur wenig von der gebräuchlichen Terminologie der Psychoanalyse unterscheiden, legt Crawley dar, daß jedes Individuum sich durch ein *»taboo of personal isolation«* von den anderen absondert und daß gerade die kleinen Unterschiede bei sonstiger Ähnlichkeit die Gefühle von Fremdheit und Feindseligkeit zwischen ihnen begründen. Es wäre verlockend, dieser Idee nachzugehen und aus diesem »Narzißmus der kleinen Unterschiede« die Feindseligkeit abzuleiten, die wir in allen menschlichen Beziehungen erfolgreich gegen die Gefühle von Zusammengehörigkeit streiten und das Gebot der allgemeinen Menschenliebe überwältigen sehen. Von der Begründung der narzißtischen, reichlich mit Geringschätzung versetzten Ablehnung des Weibes durch den Mann glaubt die Psychoanalyse ein Hauptstück erraten zu haben, indem sie auf den Kastrationskomplex und dessen Einfluß auf die Beurteilung des Weibes verweist.

Wir merken indes, daß wir mit diesen letzten Erwägungen weit über unser Thema hinausgegriffen haben. Das allgemeine Tabu des Weibes wirft kein Licht auf die besonderen Vorschriften für den ersten

Sexualakt mit dem jungfräulichen Individuum. Hier bleiben wir auf die beiden ersten Erklärungen der Blutscheu und der Erstlingsscheu angewiesen, und selbst von diesen müßten wir aussagen, daß sie den Kern des in Rede stehenden Tabugebotes nicht treffen. Diesem liegt ganz offenbar die Absicht zugrunde, *gerade dem späteren Ehemanne etwas zu versagen oder zu ersparen*, was von dem ersten Sexualakt nicht loszulösen ist, wiewohl sich nach unserer eingangs gemachten Bemerkung von dieser selben Beziehung eine besondere Bindung des Weibes an diesen einen Mann ableiten müßte.

Es ist diesmal nicht unsere Aufgabe, die Herkunft und letzte Bedeutung der Tabuvorschriften zu erörtern. Ich habe dies in meinem Buche »Totem und Tabu« getan, dort die Bedingung einer ursprünglichen Ambivalenz für das Tabu gewürdigt und die Entstehung desselben aus den vorzeitlichen Vorgängen verfochten, welche zur Gründung der menschlichen Familie geführt haben. Aus den heute beobachteten Tabugebräuchen der Primitiven läßt sich eine solche Vorbedeutung nicht mehr erkennen. Wir vergessen bei solcher Forderung allzu leicht, daß auch die primitivsten Völker in einer von der urzeitlichen weit entfernten Kultur leben, die zeitlich ebenso alt ist wie die unsrige und gleichfalls einer späteren, wenn auch andersartigen Entwicklungsstufe entspricht.

Wir finden heute das Tabu bei den Primitiven bereits zu einem kunstvollen System ausgesponnen, ganz wie es unsere Neurotiker in ihren Phobien entwickeln, und alte Motive durch neuere, harmonisch zusammenstimmende, ersetzt. Mit Hinwegsetzung über jene genetischen Probleme wollen wir darum auf die Einsicht zurückgreifen, daß der Primitive dort ein Tabu anbringt, wo er eine Gefahr befürchtet. Diese Gefahr ist, allgemein gefaßt, eine psychische, denn der Primitive ist nicht dazu gedrängt, hier zwei Unterscheidungen vorzunehmen, die uns als unausweichlich erscheinen. Er sondert die materielle Gefahr nicht von der psychischen und die reale nicht von der imaginären. In seiner konsequent durchgeführten animistischen Weltauffassung stammt ja jede Gefahr aus der feindseligen Absicht eines gleich ihm beseelten Wesens, sowohl die Gefahr, die von einer Naturkraft droht, wie die von anderen Menschen oder Tieren. Anderseits aber ist er gewohnt, seine eigenen inneren Regungen von Feindseligkeit in die Außenwelt zu projizieren, sie also den Objekten, die er als unliebsam oder auch nur als fremd empfindet, zuzuschieben. Als Quelle solcher Gefahren wird nun auch das Weib erkannt und der erste Sexualakt mit dem Weibe als eine besonders intensive Gefahr ausgezeichnet.

Ich glaube nun, wir werden einigen Aufschluß darüber erhalten, welches diese gesteigerte Gefahr ist und warum sie gerade den späteren Ehemann bedroht, wenn wir das Verhalten der heute lebenden Frauen unserer Kulturstufe unter den gleichen Verhältnissen genauer untersuchen. Ich stelle als das Ergebnis dieser Untersuchung voran, daß eine solche Gefahr wirklich besteht, so daß der Primitive sich mit dem Tabu der Virginität gegen eine richtig geahnte, wenn auch psychische Gefahr verteidigt.

Wir schätzen es als die normale Reaktion ein, daß die Frau nach dem Koitus auf der Höhe der Befriedigung den Mann umarmend an sich preßt, sehen darin einen Ausdruck ihrer Dankbarkeit und eine Zusage dauernder Hörigkeit. Wir wissen aber, es ist keineswegs die Regel, daß auch der erste Verkehr dies Benehmen zur Folge hätte; sehr häufig bedeutet er bloß eine Enttäuschung für das Weib, das kühl und unbefriedigt bleibt, und es bedarf gewöhnlich längerer Zeit und häufigerer Wiederholung des Sexualaktes, bis sich bei diesem die Befriedigung auch für das Weib einstellt. Von diesen Fällen bloß anfänglicher und bald vorübergehender Frigidität führt eine stetige Reihe bis zu dem unerfreulichen Ergebnis einer stetig anhaltenden Frigidität, die durch keine zärtliche Bemühung des Mannes überwunden wird. Ich glaube, diese Frigidität des Weibes ist noch nicht genügend verstanden und fordert bis auf jene Fälle, die man der ungenügenden Potenz des Mannes zur Last legen muß, die Aufklärung, womöglich durch ihr nahestehende Erscheinungen, heraus.

Die so häufigen Versuche, vor dem ersten Sexualverkehr die Flucht zu ergreifen, möchte ich hier nicht heranziehen, weil sie mehrdeutig und in erster Linie, wenn auch nicht durchaus, als Ausdruck des allgemeinen weiblichen Abwehrbestrebens aufzufassen sind. Dagegen glaube ich, daß gewisse pathologische Fälle ein Licht auf das Rätsel der weiblichen Frigidität werfen, in denen die Frau nach dem ersten, ja nach jedem neuerlichen Verkehr ihre Feindseligkeit gegen den Mann unverhohlen zum Ausdruck bringt, indem sie ihn beschimpft, die Hand gegen ihn erhebt oder ihn tatsächlich schlägt. In einem ausgezeichneten Falle dieser Art, den ich einer eingehenden Analyse unterziehen konnte, geschah dies, obwohl die Frau den Mann sehr liebte, den Koitus selbst zu fordern pflegte und in ihm unverkennbar hohe Befriedigung fand. Ich meine, daß diese sonderbare konträre Reaktion der Erfolg der nämlichen Regungen ist, die sich für gewöhnlich nur als Frigidität äußern können, das heißt imstande sind, die zärtliche Reaktion aufzuhalten, ohne sich dabei selbst zur Geltung zu bringen. In dem pathologischen Falle ist sozusagen in seine beiden Komponenten zerlegt, was sich bei der weit häufigeren Frigidität zu einer Hemmungswirkung vereinigt, ganz ähnlich, wie wir es an den sogenannten »zweizeitigen« Symptomen der Zwangsneurose längst erkannt haben. Die Gefahr, welche so durch die Defloration des Weibes regegemacht wird, bestünde darin, sich die Feindseligkeit desselben zuzuziehen, und gerade der spätere Ehemann hätte allen Grund, sich solcher Feindschaft zu entziehen.

Die Analyse läßt nun ohne Schwierigkeiten erraten, welche Regungen des Weibes am Zustandekommen jenes paradoxen Verhaltens beteiligt sind, in dem ich die Aufklärung der Frigidität zu finden erwarte. Der erste Koitus macht eine Reihe solcher Regungen mobil, die für die erwünschte weibliche Einstellung unverwendbar sind, von denen einige sich auch bei späterem Verkehr nicht zu wiederholen brauchen. In erster Linie wird man hier an den Schmerz denken, welcher der Jungfrau bei der Defloration zugefügt wird, ja vielleicht geneigt sein, dies Moment für entscheidend zu halten und von der Suche nach anderen abzustehen. Man kann aber eine solche Bedeutung nicht gut dem Schmerze zuschreiben, muß vielmehr an seine Stelle die narzißtische Kränkung setzen, die aus der Zerstörung eines Organs erwächst und die in dem Wissen um die Herabsetzung des sexuellen Wertes der Deflorierten selbst eine rationelle Vertretung findet. Die Hochzeitsgebräuche der Primitiven enthalten aber eine Warnung vor solcher Überschätzung. Wir haben gehört, daß in manchen Fällen das Zeremoniell ein zweizeitiges ist; nach der (mit Hand oder Instrument) durchgeführten Zerreißung des Hymens folgt noch ein offizieller Koitus oder Scheinverkehr mit den Vertretern des Mannes, und dies beweist uns, daß der Sinn der Tabuvorschrift durch die Vermeidung der anatomischen Defloration nicht erfüllt ist, daß dem Ehemann noch etwas anderes erspart werden soll als die Reaktion der Frau auf die schmerzhafte Verletzung.

Wir finden als weiteren Grund für die Enttäuschung durch den ersten Koitus, daß für ihn, beim Kulturweibe wenigstens, Erwartung und Erfüllung nicht zusammenstimmen können. Der Sexualverkehr war bisher aufs stärkste mit dem Verbot assoziiert, der legale und erlaubte Verkehr wird darum nicht als das nämliche empfunden. Wie innig diese Verknüpfung sein kann, erhellt in beinahe komischer Weise aus dem Bestreben so vieler Bräute, die neuen Liebesbeziehungen vor allen Fremden, ja selbst vor den Eltern geheimzuhalten, wo eine wirkliche Nötigung dazu nicht besteht und ein Einspruch nicht zu erwarten ist. Die Mädchen sagen es offen, daß ihre Liebe an Wert für sie verliert, wenn andere davon wissen. Gelegentlich kann dies Motiv übermächtig werden und die Entwicklung der Liebesfähigkeit in der Ehe überhaupt verhindern. Die Frau findet ihre zärtliche Empfindlichkeit erst in einem unerlaubten, geheimzuhaltenden Verhältnis wieder, wo sie sich allein des eigenen unbeeinflußten Willens sicher weiß.

Indes, auch dieses Motiv führt nicht tief genug; außerdem läßt es, an Kulturbedingungen gebunden, eine gute Beziehung zu den Zuständen der Primitiven vermissen. Um so bedeutungsvoller ist das nächste, auf der Entwicklungsgeschichte der Libido fußende Moment. Es ist uns durch die Bemühungen der Analyse bekannt geworden, wie regelmäßig und wie mächtig die frühesten Unterbringungen der Libido sind. Es handelt sich dabei um festgehaltene Sexualwünsche der Kindheit, beim Weibe zumeist um Fixierung der Libido an den Vater oder an den ihn ersetzenden Bruder, Wünsche, die häufig genug auf anderes als den Koitus gerichtet waren oder ihn nur als unscharf erkanntes Ziel einschlossen. Der Ehemann ist sozusagen immer nur ein Ersatzmann, niemals der Richtige; den ersten Satz auf die Liebesfähigkeit der Frau hat ein anderer, in typischen Fällen der Vater, er höchstens den zweiten. Es kommt nun darauf an, wie intensiv diese Fixierung ist und wie zähe sie festgehalten wird, damit der Ersatzmann als unbefriedigend abgelehnt werde. Die Frigidität steht somit unter den genetischen Bedingungen der

Neurose. Je mächtiger das psychische Element im Sexualleben der Frau ist, desto widerstandsfähiger wird sich ihre Libidoverteilung gegen die Erschütterung des ersten Sexualaktes erweisen, desto weniger überwältigend wird ihre körperliche Besitznahme wirken können. Die Frigidität mag sich dann als neurotische Hemmung festsetzen oder den Boden für die Entwicklung anderer Neurosen abgeben, und auch nur mäßige Herabsetzungen der männlichen Potenz kommen dabei als Helfer sehr in Betracht.

Dem Motiv des früheren Sexualwunsches scheint die Sitte der Primitiven Rechnung zu tragen, welche die Defloration einem Ältesten, Priester, heiligen Mann, also einem Vaterersatz (siehe oben [S. 117ff.]), überträgt. Von hier aus scheint mir ein gerader Weg zum vielbestrittenen Ius primae noctis des mittelalterlichen Gutsherrn zu führen. A. J. Storfer[1] hat dieselbe Auffassung vertreten, überdies die weitverbreitete Institution der »Tobiasehe« (der Sitte der Enthaltsamkeit in den ersten drei Nächten) als eine Anerkennung der Vorrechte des Patriarchen gedeutet, wie vor ihm bereits C. G. Jung[2]. Es entspricht dann nur unserer Erwartung, wenn wir unter den mit der Defloration betrauten Vatersurrogaten auch das Götterbild finden. In manchen Gegenden von Indien mußte die Neuvermählte das Hymen dem hölzernen Lingam opfern, und nach dem Berichte des heiligen Augustinus bestand im römischen Heiratszeremoniell (seiner Zeit?) dieselbe Sitte mit der Abschwächung, daß sich die junge Frau auf den riesigen Steinphallus des Priapus nur zu setzen brauchte.[3]

In noch tiefere Schichten greift ein anderes Motiv zurück, welches nachweisbar an der paradoxen Reaktion gegen den Mann die Hauptschuld trägt und dessen Einfluß sich nach meiner Meinung noch in der Frigidität der Frau äußert. Durch den ersten Koitus werden beim Weibe noch andere alte Regungen als die beschriebe-

---

1 Zur Sonderstellung des Vatermords [Wien] 1911. (Schriften zur angewandten Seelenkunde, XII.)

2 Die Bedeutung des Vaters für das Schicksal des Einzelnen. (Jahrbuch für psychoanalytische und psychopathologische Forschungen, I, 1909.)

3 Ploß und Bartels: Das Weib I, XII, und [J. A.] Dulaure: Des Divinités génératrices. Paris 1885 (réimprimé sur l'édition de 1825), S. 142 u. ff.

nen aktiviert, die der weiblichen Funktion und Rolle überhaupt widerstreben.

Wir wissen aus der Analyse vieler neurotischer Frauen, daß sie ein frühes Stadium durchmachen, in dem sie den Bruder um das Zeichen der Männlichkeit beneiden und sich wegen seines Fehlens (eigentlich seiner Verkleinerung) benachteiligt und zurückgesetzt fühlen. Wir ordnen diesen »Penisneid« dem »Kastrationskomplex« ein. Wenn man unter »männlich« das Männlichseinwollen mitversteht, so paßt auf dieses Verhalten die Bezeichnung »männlicher Protest«, die Alf. Adler geprägt hat, um diesen Faktor zum Träger der Neurose überhaupt zu proklamieren. In dieser Phase machen die Mädchen aus ihrem Neid und der daraus abgeleiteten Feindseligkeit gegen den begünstigten Bruder oft kein Hehl: sie versuchen es auch, aufrechtstehend wie der Bruder zu urinieren, um ihre angebliche Gleichberechtigung zu vertreten. In dem bereits erwähnten Falle von uneingeschränkter Aggression gegen den sonst geliebten Mann nach dem Koitus konnte ich feststellen, daß diese Phase vor der Objektwahl bestanden hatte. Erst später wandte sich die Libido des kleinen Mädchens dem Vater zu, und dann wünschte sie sich anstatt des Penis – ein Kind.[1]

Ich würde nicht überrascht sein, wenn sich in anderen Fällen die Zeitfolge dieser Regungen umgekehrt fände und dies Stück des Kastrationskomplexes erst nach erfolgter Objektwahl zur Wirkung käme. Aber die männliche Phase des Weibes, in der es den Knaben um den Penis beneidet, ist jedenfalls die entwicklungsgeschichtlich frühere und steht dem ursprünglichen Narzißmus näher als die Objektliebe.

Vor einiger Zeit gab mir ein Zufall Gelegenheit, den Traum einer Neuvermählten zu erfassen, der sich als Reaktion auf ihre Entjungferung erkennen ließ. Er verriet ohne Zwang den Wunsch des Weibes, den jungen Ehemann zu kastrieren und seinen Penis bei sich zu behalten. Es war gewiß auch Raum für die harmlosere Deutung, es sei die Verlängerung und Wiederholung des Aktes gewünscht worden, allein manche Einzelheiten des Traumes gingen über diesen

---

1 Siehe: Über Triebumsetzungen, insbesondere der Analerotik. Intern. Zeitschr. f. PsA. IV, 1916/17 (Bd. X. dieser Gesamtausgabe [unten, S. 147]).

Sinn hinaus, und der Charakter wie das spätere Benehmen der Träumerin legten Zeugnis für die ernstere Auffassung ab. Hinter diesem Penisneid kommt nun die feindselige Erbitterung des Weibes gegen den Mann zum Vorschein, die in den Beziehungen der Geschlechter niemals ganz zu verkennen ist und von der in den Bestrebungen und literarischen Produktionen der »Emanzipierten« die deutlichsten Anzeichen vorliegen. Diese Feindseligkeit des Weibes führt Ferenczi – ich weiß nicht, ob als erster – in einer paläobiologischen Spekulation bis auf die Epoche der Differenzierung der Geschlechter zurück. Anfänglich, meint er, fand die Kopulation zwischen zwei gleichartigen Individuen statt, von denen sich aber eines zum stärkeren entwickelte und das schwächere zwang, die geschlechtliche Vereinigung zu erdulden. Die Erbitterung über dies Unterlegensein setze sich noch in der heutigen Anlage des Weibes fort. Ich halte es für vorwurfsfrei, sich solcher Spekulationen zu bedienen, solange man es vermeidet, sie zu überwerten.

Nach dieser Aufzählung der Motive für die in der Frigidität spurweise fortgesetzte paradoxe Reaktion des Weibes auf die Defloration darf man es zusammenfassend aussprechen, daß sich die *unfertige Sexualität* des Weibes an dem Manne entlädt, der sie zuerst den Sexualakt kennen lehrt. Dann ist aber das Tabu der Virginität sinnreich genug, und wir verstehen die Vorschrift, welche gerade den Mann solche Gefahren vermeiden heißt, der in ein dauerndes Zusammenleben mit dieser Frau eintreten soll. Auf höheren Kulturstufen ist die Schätzung dieser Gefahr gegen die Verheißung der Hörigkeit und gewiß auch gegen andere Motive und Verlockungen zurückgetreten; die Virginität wird als ein Gut betrachtet, auf welches der Mann nicht verzichten soll. Aber die Analyse der Ehestörungen lehrt, daß die Motive, welche das Weib dazu nötigen wollen, Rache für ihre Defloration zu nehmen, auch im Seelenleben des Kulturweibes nicht ganz erloschen sind. Ich meine, es muß dem Beobachter auffallen, in einer wie ungewöhnlich großen Anzahl von Fällen das Weib in einer ersten Ehe frigid bleibt und sich unglücklich fühlt, während sie nach Lösung dieser Ehe ihrem zweiten Manne eine zärtliche und beglückende Frau wird. Die archaische Reaktion hat sich sozusagen am ersten Objekt erschöpft.

Das Tabu der Virginität ist aber auch sonst in unserem Kulturleben

nicht untergegangen. Die Volksseele weiß von ihm, und Dichter haben sich gelegentlich dieses Stoffes bedient. Anzengruber stellt in einer Komödie dar, wie sich ein einfältiger Bauernbursche abhalten läßt, die ihm zugedachte Braut zu heiraten, weil sie »a Dirn' is, was ihrem ersten 's Leben kost'«. Er willigt darum ein, daß sie einen anderen heirate, und will sie dann als Wittfrau nehmen, wo sie ungefährlich ist. Der Titel des Stückes: »Das Jungferngift« erinnert daran, daß Schlangenbändiger die Giftschlange vorerst in ein Tüchlein beißen lassen, um sie dann ungefährdet zu handhaben.[1]
Das Tabu der Virginität und ein Stück seiner Motivierung hat seine mächtigste Darstellung in einer bekannten dramatischen Gestalt gefunden, in der Judith in Hebbels Tragödie »Judith und Holofernes«. Judith ist eine jener Frauen, deren Virginität durch ein Tabu geschützt ist. Ihr erster Mann wurde in der Brautnacht durch eine rätselhafte Angst gelähmt und wagte es nie mehr, sie zu berühren. »Meine Schönheit ist die der Tollkirsche«, sagte sie. »Ihr Genuß bringt Wahnsinn und Tod.« Als der assyrische Feldherr ihre Stadt bedrängt, faßt sie den Plan, ihn durch ihre Schönheit zu verführen und zu verderben, verwendet so ein patriotisches Motiv zur Verdeckung eines sexuellen. Nach der Defloration durch den gewaltigen, sich seiner Stärke und Rücksichtslosigkeit rühmenden Mann findet sie in ihrer Empörung die Kraft, ihm den Kopf abzuschlagen, und wird so zur Befreierin ihres Volkes. Köpfen ist uns als symbolischer Ersatz für Kastrieren wohlbekannt; danach ist Judith das Weib, das den Mann kastriert, von dem sie defloriert wurde, wie es auch der von mir berichtete Traum einer Neuvermählten wollte.

1 Eine meisterhaft knappe Erzählung von A. Schnitzler (»Das Schicksal des Freiherrn v. Leisenbogh«) verdient trotz der Abweichung in der Situation hier angereiht zu werden. Der durch einen Unfall verunglückte Liebhaber einer in der Liebe vielerfahrenen Schauspielerin hat ihr gleichsam eine neue Virginität geschaffen, indem er den Todesfluch über den Mann ausspricht, der sie zuerst nach ihm besitzen wird. Das mit diesem Tabu belegte Weib getraut sich auch eine Weile des Liebesverkehres nicht. Nachdem sie sich aber in einen Sänger verliebt hat, greift sie zur Auskunft, vorher dem Freiherrn v. Leisenbogh eine Nacht zu schenken, der sich seit Jahren erfolglos um sie bemüht. An ihm erfüllt sich auch der Fluch; er wird vom Schlag getroffen, sobald er das Motiv seines unverhofften Liebesglückes erfährt.

Hebbel hat die patriotische Erzählung aus den Apokryphen des Alten Testaments in klarer Absichtlichkeit sexualisiert, denn dort kann Judith nach ihrer Rückkehr rühmen, daß sie nicht verunreinigt worden ist, auch fehlt im Text der Bibel jeder Hinweis auf ihre unheimliche Hochzeitsnacht. Wahrscheinlich hat er aber mit dem Feingefühl des Dichters das uralte Motiv verspürt, das in jene tendenziöse Erzählung eingegangen war, und dem Stoff nur seinen früheren Gehalt wiedergegeben.

I. Sadger hat in einer trefflichen Analyse ausgeführt, wie Hebbel durch seinen eigenen Elternkomplex in seiner Stoffwahl bestimmt wurde und wie er dazu kam, so regelmäßig im Kampfe der Geschlechter für das Weib Partei zu nehmen und sich in dessen verborgenste Seelenregungen einzufühlen.[1] Er zitiert auch die Motivierung, die der Dichter selbst für die von ihm eingeführte Abänderung des Stoffes gegeben hat, und findet sie mit Recht gekünstelt und wie dazu bestimmt, etwas dem Dichter selbst Unbewußtes nur äußerlich zu rechtfertigen und im Grunde zu verdecken. Sadgers Erklärung, warum die nach der biblischen Erzählung verwitwete Judith zur jungfräulichen Witwe werden mußte, will ich nicht antasten. Er weist auf die Absicht der kindlichen Phantasie hin, den sexuellen Verkehr der Eltern zu verleugnen und die Mutter zur unberührten Jungfrau zu machen. Aber ich setze fort: Nachdem der Dichter die Jungfräulichkeit seiner Heldin festgelegt hatte, verweilte seine nachfühlende Phantasie bei der feindseligen Reaktion, die durch die Verletzung der Virginität ausgelöst wird.

Wir dürfen also abschließend sagen: Die Defloration hat nicht nur die eine kulturelle Folge, das Weib dauernd an den Mann zu fesseln; sie entfesselt auch eine archaische Reaktion von Feindseligkeit gegen den Mann, welche pathologische Formen annehmen kann, die sich häufig genug durch Hemmungserscheinungen im Liebesleben der Ehe äußern, und der man es zuschreiben darf, daß zweite Ehen so oft besser geraten als die ersten. Das befremdende Tabu der Virginität, die Scheu, mit welcher bei den Primitiven der Ehemann der Defloration aus dem Wege geht, finden in dieser feindseligen Reaktion ihre volle Rechtfertigung.

1 Von der Pathographie zur Psychographie. Imago, I., 1912.

Es ist nun interessant, daß man als Analytiker Frauen begegnen kann, bei denen die entgegengesetzten Reaktionen von Hörigkeit und Feindseligkeit beide zum Ausdruck gekommen und in inniger Verknüpfung miteinander geblieben sind. Es gibt solche Frauen, die mit ihren Männern völlig zerfallen scheinen und doch nur vergebliche Bemühungen machen können, sich von ihnen zu lösen. Sooft sie es versuchen, ihre Liebe einem anderen Manne zuzuwenden, tritt das Bild des ersten, doch nicht mehr geliebten hemmend dazwischen. Die Analyse lehrt dann, daß diese Frauen allerdings noch in Hörigkeit an ihren ersten Männern hängen, aber nicht mehr aus Zärtlichkeit. Sie kommen von ihnen nicht frei, weil sie ihre Rache an ihnen nicht vollendet, in ausgeprägten Fällen die rachsüchtige Regung sich nicht einmal zum Bewußtsein gebracht haben.

ZWEI KINDERLÜGEN

(1913)

ZWEI KINDERLÜGEN

Es ist begreiflich, daß Kinder lügen, wenn sie damit die Lügen der Erwachsenen nachahmen. Aber eine Anzahl von Lügen von gut geratenen Kindern haben eine besondere Bedeutung und sollten die Erzieher nachdenklich machen, anstatt sie zu erbittern. Sie erfolgen unter dem Einfluß überstarker Liebesmotive und werden verhängnisvoll, wenn sie ein Mißverständnis zwischen dem Kinde und der von ihm geliebten Person herbeiführen.

I

Das siebenjährige Mädchen (im zweiten Schuljahr) hat vom Vater Geld verlangt, um Farben zum Bemalen von Ostereiern zu kaufen. Der Vater hat es abgeschlagen mit der Begründung, er habe kein Geld. Kurz darauf verlangt es vom Vater Geld, um zu einem Kranz für die verstorbene Landesfürstin beizusteuern. Jedes der Schulkinder soll fünfzig Pfennige bringen. Der Vater gibt ihr zehn Mark; sie bezahlt ihren Beitrag, legt dem Vater neun Mark auf den Schreibtisch und hat für die übrigen fünfzig Pfennige Farben gekauft, die sie im Spielschrank verbirgt. Bei Tisch fragt der Vater argwöhnisch, was sie mit den fehlenden fünfzig Pfennigen gemacht und ob sie dafür nicht doch Farben gekauft hat. Sie leugnet es, aber der um zwei Jahre ältere Bruder, mit dem gemeinsam sie die Eier bemalen wollte, verrät sie; die Farben werden im Schrank gefunden. Der erzürnte Vater überläßt die Missetäterin der Mutter zur Züchtigung, die sehr energisch ausfällt. Die Mutter ist nachher selbst erschüttert, als sie merkt, wie sehr das Kind verzweifelt ist. Sie liebkost es nach der Züchtigung, geht mit ihm spazieren, um es zu trösten. Aber die Wirkungen dieses Erlebnisses, von der Patientin selbst als »Wendepunkt« ihrer Jugend bezeichnet, erweisen sich als unaufhebbar. Sie war bis dahin ein wildes, zuversichtliches Kind, sie wird von da an scheu und zaghaft. In ihrer Brautzeit gerät sie in eine ihr unverständliche Wut, als die Mutter ihr die Möbel und Aussteuer besorgt. Es schwebt ihr vor, es ist doch ihr Geld, dafür darf kein anderer etwas kaufen. Als junge Frau scheut sie sich, von ihrem Manne Ausgaben für ihren persönlichen Bedarf zu verlangen, und scheidet in überflüssiger Weise »ihr« Geld von seinem Geld. Während der Zeit der Behandlung trifft es sich einige Male, daß die Geldzusendungen ihres Mannes sich verspäten, so daß sie in der fremden Stadt mittellos bleibt. Nachdem sie mir dies einmal erzählt hat, will ich ihr das Versprechen abnehmen, in der Wiederholung dieser Situation die kleine Summe, die sie unterdes braucht, von mir zu entlehnen. Sie gibt dieses Versprechen, hält es aber bei der nächsten Geldverlegenheit nicht ein und zieht es vor, ihre Schmuckstücke zu verpfänden. Sie erklärt, sie kann kein Geld von mir nehmen.

Die Aneignung der fünfzig Pfennige in der Kindheit hatte eine Bedeutung, die der Vater nicht ahnen konnte. Einige Zeit vor der Schule hatte sie ein merkwürdiges Stückchen mit Geld aufgeführt. Eine befreundete Nachbarin hatte sie mit einem kleinen Geldbetrag als Begleiterin ihres noch jüngeren Söhnchens in einen Laden geschickt, um irgend etwas einzukaufen. Den Rest des Geldes nach dem Einkaufe trug sie als die ältere nach Hause. Als sie aber auf der Straße dem Dienstmädchen der Nachbarin begegnete, warf sie das Geld auf das Straßenpflaster hin. Zur Analyse dieser ihr selbst unerklärlichen Handlung fiel ihr Judas ein, der die Silberlinge hinwarf, die er für den Verrat am Herrn bekommen. Sie erklärt es für sicher, daß sie mit der Passionsgeschichte schon vor dem Schulbesuch bekannt wurde. Aber inwiefern durfte sie sich mit Judas identifizieren?

Im Alter von dreieinhalb[1] Jahren hatte sie ein Kindermädchen, dem sie sich sehr innig anschloß. Dieses Mädchen geriet in erotische Beziehungen zu einem Arzt, dessen Ordination sie mit dem Kinde besuchte. Es scheint, daß das Kind damals Zeuge verschiedener sexueller Vorgänge wurde. Ob sie sah, daß der Arzt dem Mädchen Geld gab, ist nicht sichergestellt; unzweifelhaft aber, daß das Mädchen dem Kinde kleine Münzen schenkte, um sich seiner Ver-

---

1 [In der Erstveröffentlichung: »3¼«.]

schwiegenheit zu versichern, für welche auf dem Heimwege Einkäufe (wohl an Süßigkeiten) gemacht wurden. Es ist auch möglich, daß der Arzt selbst dem Kinde gelegentlich Geld schenkte. Dennoch verriet das Kind sein Mädchen an die Mutter, aus Eifersucht. Es spielte so auffällig mit den heimgebrachten Groschen, daß die Mutter fragen mußte: Woher hast du das Geld? Das Mädchen wurde weggeschickt.

Geld von jemandem nehmen hatte also für sie frühzeitig die Bedeutung der körperlichen Hingebung, der Liebesbeziehung, bekommen. Vom Vater Geld nehmen hatte den Wert einer Liebeserklärung. Die Phantasie, daß der Vater ihr Geliebter sei, war so verführerisch, daß der Kinderwunsch nach den Farben für die Ostereier sich mit ihrer Hilfe gegen das Verbot leicht durchsetzte. Eingestehen konnte sie aber die Aneignung des Geldes nicht, sie mußte leugnen, weil das Motiv der Tat, ihr selbst unbewußt, nicht einzugestehen war. Die Züchtigung des Vaters war also eine Abweisung der ihm angebotenen Zärtlichkeit, eine Verschmähung, und brach darum ihren Mut. In der Behandlung brach ein schwerer Verstimmungszustand los, dessen Auflösung zu der Erinnerung des hier Mitgeteilten führte, als ich einmal genötigt war, die Verschmähung zu kopieren, indem ich sie bat, keine Blumen mehr zu bringen.

Für den Psychoanalytiker bedarf es kaum der Hervorhebung, daß in dem kleinen Erlebnis des Kindes einer jener so überaus häufigen Fälle von Fortsetzung der früheren Analerotik in das spätere Liebesleben vorliegt. Auch die Lust, die Eier farbig zu bemalen, entstammt derselben Quelle.

II

Eine heute infolge einer Versagung im Leben schwerkranke Frau war früher einmal ein besonders tüchtiges, wahrheitsliebendes, ernsthaftes und gutes Mädchen gewesen und dann eine zärtliche[1] Frau geworden. Noch früher aber, in den ersten Lebensjahren, war sie ein eigensinniges und unzufriedenes Kind gewesen, und wäh-

1 [In der Erstveröffentlichung: »zärtliche und glückliche«.]

rend sie sich ziemlich rasch zur Übergüte und Übergewissenhaftigkeit wandelte, ereigneten sich noch in ihrer Schulzeit Dinge, die ihr in den Zeiten der Krankheit schwere Vorwürfe einbrachten und von ihr als Beweise gründlicher Verworfenheit beurteilt wurden. Ihre Erinnerung sagte ihr, daß sie damals oft geprahlt und gelogen hatte. Einmal rühmte sich auf dem Schulweg eine Kollegin: Gestern haben wir zu Mittag Eis gehabt. Sie erwiderte: Oh, Eis haben wir alle Tage. In Wirklichkeit verstand sie nicht, was Eis zur Mittagsmahlzeit bedeuten sollte; sie kannte das Eis nur in den langen Blöcken, wie es auf Wagen verführt wird, aber sie nahm an, es müsse etwas Vornehmes damit gemeint sein, und darum wollte sie hinter der Kollegin nicht zurückbleiben.

Als sie zehn Jahre alt war, wurde in der Zeichenstunde einmal die Aufgabe gegeben, aus freier Hand einen Kreis zu ziehen. Sie bediente sich dabei aber des Zirkels, brachte so leicht einen vollkommenen Kreis zustande und zeigte ihre Leistung triumphierend ihrer Nachbarin. Der Lehrer kam hinzu, hörte die Prahlerin, entdeckte die Zirkelspuren in der Kreislinie und stellte das Mädchen zur Rede. Dieses aber leugnete hartnäckig, ließ sich durch keine Beweise überführen und half sich durch trotziges Verstummen. Der Lehrer konferierte darüber mit dem Vater; beide ließen sich durch die sonstige Bravheit des Mädchens bestimmen, dem Vergehen keine weitere Folge zu geben.

Beide Lügen des Kindes waren durch den nämlichen Komplex motiviert. Als älteste von fünf Geschwistern entwickelte die Kleine frühzeitig eine ungewöhnlich intensive Anhänglichkeit an den Vater, an welcher dann in reifen Jahren ihr Lebensglück scheitern sollte. Sie mußte aber bald die Entdeckung machen, daß dem geliebten Vater nicht die Größe zukomme, die sie ihm zuzuschreiben bereit war. Er hatte mit Geldschwierigkeiten zu kämpfen, er war nicht so mächtig oder so vornehm, wie sie gemeint hatte. Diesen Abzug von ihrem Ideal konnte sie sich aber nicht gefallen lassen. Indem sie nach Art des Weibes ihren ganzen Ehrgeiz auf den geliebten Mann verlegte, wurde es zum überstarken Motiv für sie, den Vater gegen die Welt zu stützen. Sie prahlte also vor den Kolleginnen, um den Vater nicht verkleinern zu müssen. Als sie später das Eis beim Mittagessen mit »Glace« übersetzen lernte, war der Weg gebahnt, auf welchem dann der Vorwurf wegen dieser Reminiszenz in eine Angst vor Glasscherben und Splittern einmünden konnte.

Der Vater war ein vorzüglicher Zeichner und hatte durch die Proben seines Talents oft genug das Entzücken und die Bewunderung der Kinder hervorgerufen. In der Identifizierung mit dem Vater zeichnete sie in der Schule jenen Kreis, der ihr nur durch betrügerische Mittel gelingen konnte. Es war, als ob sie sich rühmen wollte: Schau her, was mein Vater kann! Das Schuldbewußtsein, das der überstarken Neigung zum Vater anhaftete, fand in dem versuchten Betrug seinen Ausdruck; ein Geständnis war aus demselben Grunde unmöglich wie in der vorstehenden Beobachtung, es hätte das Geständnis der verborgenen inzestuösen Liebe sein müssen.

Man möge nicht gering denken von solchen Episoden des Kinderlebens. Es wäre eine arge Verfehlung, wenn man aus solchen kindlichen Vergehen die Prognose auf Entwicklung eines unmoralischen Charakters stellen würde. Wohl aber hängen sie mit den stärksten Motiven der kindlichen Seele zusammen und künden die Dispositionen zu späteren Schicksalen oder künftigen Neurosen an.

ÜBER TRIEBUMSETZUNGEN, INSBESONDERE DER ANALEROTIK

(1917)

ÜBER TRIEBUMSETZUNGEN, INSBESONDERE DER ANALEROTIK

Vor einer Reihe von Jahren habe ich aus der psychoanalytischen Beobachtung die Vermutung geschöpft, daß das konstante Zusammentreffen der drei Charaktereigenschaften: *ordentlich, sparsam und eigensinnig* auf eine Verstärkung der analerotischen Komponente in der Sexualkonstitution solcher Personen hindeute, bei denen es aber im Laufe der Entwicklung durch Aufzehrung ihrer Analerotik zur Ausbildung solcher bevorzugter Reaktionsweisen des Ichs gekommen ist.[1]

Es lag mir damals daran, eine als tatsächlich erkannte Beziehung bekanntzugeben; um ihre theoretische Würdigung bekümmerte ich mich wenig. Seither hat sich wohl allgemein die Auffassung durchgesetzt, daß jede einzelne der drei Eigenschaften: Geiz, Pedanterie und Eigensinn aus den Triebquellen der Analerotik hervorgeht oder – vorsichtiger und vollständiger ausgedrückt – mächtige Zuschüsse aus diesen Quellen bezieht. Die Fälle, denen die Vereinigung der erwähnten drei Charakterfehler ein besonderes Gepräge aufdrückte (Analcharakter), waren eben nur die Extreme, an denen sich der uns interessierende Zusammenhang auch einer stumpfen Beobachtung verraten mußte.

Einige Jahre später habe ich aus einer Fülle von Eindrücken, geleitet durch eine besonders zwingende analytische Erfahrung, den Schluß gezogen, daß in der Entwicklung der menschlichen Libido vor der Phase des Genitalprimats eine »prägenitale Organisation« anzunehmen ist, in welcher der Sadismus und die Analerotik die leitenden Rollen spielen.[2]

Die Frage nach dem weiteren Verbleib der analerotischen Triebregungen war von da an unabweisbar. Welches wurde ihr Schicksal, nachdem sie durch die Herstellung der endgültigen Genitalorganisation ihre Bedeutung für das Sexualleben eingebüßt hatten?

1 Charakter und Analerotik, 1908 (Band VII der Ges. Werke).

2 Die Disposition zur Zwangsneurose (Ges. Werke, Bd. VIII).

Blieben sie als solche, aber nun im Zustande der Verdrängung, fortbestehen, unterlagen sie der Sublimierung oder der Aufzehrung unter Umsetzung in Eigenschaften des Charakters, oder fanden sie Aufnahme in die neue, vom Primat der Genitalien bestimmte Gestaltung der Sexualität? Oder besser, da wahrscheinlich keines dieser Schicksale der Analerotik das ausschließliche sein dürfte, in welchem Ausmaß und in welcher Weise teilen sich diese verschiedenen Möglichkeiten in die Entscheidung über die Schicksale der Analerotik, deren organische Quellen ja durch das Auftreten der Genitalorganisation nicht verschüttet werden konnten?

Man sollte meinen, es könnte an Material für die Beantwortung dieser Fragen nicht fehlen, da die betreffenden Vorgänge von Entwicklung und Umsetzung sich bei allen Personen vollzogen haben müssen, die Gegenstand der psychoanalytischen Untersuchung werden. Allein dies Material ist so undurchsichtig, die Fülle von immer wiederkehrenden Eindrücken wirkt so verwirrend, daß ich auch heute keine vollständige Lösung des Problems, bloß Beiträge zur Lösung zu geben vermag. Ich brauche dabei der Gelegenheit nicht aus dem Wege zu gehen, wenn der Zusammenhang es gestattet, einige andere Triebumsetzungen zu erwähnen, welche nicht die Analerotik betreffen. Es bedarf endlich kaum der Hervorhebung, daß die beschriebenen Entwicklungsvorgänge – hier wie anderwärts in der Psychoanalyse – aus den Regressionen erschlossen worden sind, zu welchen sie durch die neurotischen Prozesse genötigt wurden.

Ausgangspunkt dieser Erörterungen kann der Anschein werden, daß in den Produktionen des Unbewußten – Einfällen, Phantasien und Symptomen – die Begriffe *Kot* (Geld, Geschenk), *Kind* und *Penis* schlecht auseinandergehalten und leicht miteinander vertauscht werden. Wenn wir uns so ausdrücken, wissen wir natürlich, daß wir Bezeichnungen, die für andere Gebiete des Seelenlebens gebräuchlich sind, mit Unrecht auf das Unbewußte übertragen und uns durch den Vorteil, welchen ein Vergleich mit sich bringt, verleiten lassen. Wiederholen wir also in einwandfreierer Form, daß diese Elemente im Unbewußten häufig behandelt werden, als wären sie einander äquivalent und dürften einander unbedenklich ersetzen.

Für die Beziehungen von »Kind« und »Penis« ist dies am leichtesten zu sehen. Es kann nicht gleichgültig sein, daß beide in der Symbolsprache des Traumes wie in der des täglichen Lebens durch ein gemeinsames Symbol ersetzt werden können. Das Kind heißt wie der Penis das »*Kleine*«. Es ist bekannt, daß die Symbolsprache sich oft über den Geschlechtsunterschied hinaussetzt. Das »Kleine«, das ursprünglich das männliche Glied meinte, mag also sekundär zur Bezeichnung des weiblichen Genitales gelangt sein.

Forscht man tief genug in der Neurose einer Frau, so stößt man nicht selten auf den verdrängten Wunsch, einen Penis wie der Mann zu besitzen. Akzidentelles Mißgeschick im Frauenleben, oft genug selbst Folge einer stark männlichen Anlage, hat diesen Kinderwunsch, den wir als »Penisneid« dem Kastrationskomplex einordnen, wieder aktiviert und ihn durch die Rückströmung der Libido zum Hauptträger der neurotischen Symptome werden lassen. Bei anderen Frauen läßt sich von diesem Wunsch nach dem Penis nichts nachweisen; seine Stelle nimmt der Wunsch nach dem Kind ein, dessen Versagung im Leben dann die Neurose auslösen kann. Es ist so, als ob diese Frauen begriffen hätten – was als Motiv doch unmöglich gewesen sein kann –, daß die Natur dem Weibe das Kind zum Ersatz für das andere gegeben hat, was sie ihm versagen mußte. Bei noch anderen Frauen erfährt man, daß beide Wünsche in der Kindheit vorhanden waren und einander abgelöst haben. Zuerst wollten sie einen Penis haben wie der Mann, und in einer späteren, immer noch infantilen Epoche trat der Wunsch nach einem Kind an die Stelle. Man kann den Eindruck nicht abweisen, daß akzidentelle Momente des Kinderlebens, die Anwesenheit oder das Fehlen von Brüdern, das Erleben der Geburt eines neuen Kindes zu günstiger Lebenszeit, die Schuld an dieser Mannigfaltigkeit tragen, so daß der Wunsch nach dem Penis doch im Grunde identisch wäre mit dem nach dem Kinde.

Wir können angeben, welches Schicksal der infantile Wunsch nach dem Penis erfährt, wenn die Bedingungen der Neurose im späteren Leben ausbleiben. Er verwandelt sich dann in den Wunsch nach dem *Mann*, er läßt sich also den Mann als Anhängsel an den Penis gefallen. Durch diese Wandlung wird eine gegen die weibliche Sexualfunktion gerichtete Regung zu einer ihr günstigen. Diesen Frauen wird hiemit ein Liebesleben nach dem männlichen Typus der Objektliebe ermöglicht, welches sich neben dem eigentlich weiblichen, vom Narzißmus abgeleiteten, behaupten kann. Wir haben schon gehört, daß es in anderen Fällen erst das Kind ist, welches den Übergang von der narzißtischen Selbstliebe zur Objektliebe herbeiführt. Es kann also auch in diesem Punkte das Kind durch den Penis vertreten werden.

Ich hatte einigemal Gelegenheit, Träume von Frauen nach den ersten Kohabitationen zu erfahren. Diese deckten unverkennbar den Wunsch auf, den Penis, den sie verspürt hatten, bei sich zu behalten, entsprachen also, von der libidinösen Begründung abgesehen, einer flüchtigen Regression vom Manne auf den Penis als Wunschobjekt. Man wird gewiß geneigt sein, den Wunsch nach dem Manne in rein rationalistischer Weise auf den Wunsch nach dem Kinde zurückzuführen, da ja irgend einmal verstanden wird, daß man ohne Dazutun des Mannes ein Kind nicht bekommen kann. Es dürfte aber eher so zugehen, daß der Wunsch nach dem Manne unabhängig vom Kindwunsch entsteht und daß, wenn er aus begreiflichen Motiven, die durchaus der Ichpsychologie angehören, auftaucht, der alte Wunsch nach dem Penis sich ihm als unbewußte libidinöse Verstärkung beigesellt.

Die Bedeutung des beschriebenen Vorganges liegt darin, daß er ein Stück der narzißtischen Männlichkeit des jungen Weibes in Weiblichkeit überführt und somit für die weibliche Sexualfunktion unschädlich macht. Auf einem anderen Wege wird nun auch ein Anteil der Erotik der prägenitalen Phase für die Verwendung in der Phase des Genitalprimats tauglich. Das Kind wird doch als »Lumpf« betrachtet (siehe die Analyse des kleinen Hans), als etwas, was sich durch den Darm vom Körper löst; somit kann ein Betrag libidinöser Besetzung, welcher dem Darminhalt gegolten hat, auf das durch den Darm geborene Kind ausgedehnt werden. Ein sprachliches Zeugnis dieser Identität von Kind und Kot ist in der Redensart: ein Kind *schenken* erhalten. Der Kot ist nämlich das erste *Geschenk*, ein Teil seines Körpers, von dem sich der Säugling nur auf Zureden der geliebten Person trennt, mit dem er ihr auch unaufgefordert seine Zärtlichkeit bezeigt, da er fremde Personen in der Regel nicht beschmutzt. (Ähnliche, wenn auch nicht so intensive Reaktionen mit dem Urin.) Bei der Defäkation ergibt sich für das Kind eine erste Entscheidung zwischen narzißtischer und objektliebender Einstellung. Es gibt entweder den Kot gefügig ab, »opfert« ihn der Liebe, oder hält ihn zur autoerotischen Befriedigung, später zur Behauptung seines eigenen Willens, zurück. Mit letzterer Entscheidung ist der *Trotz* (Eigensinn) konstituiert, der also einem narzißtischen Beharren bei der Analerotik entspringt.

Es ist wahrscheinlich, daß nicht *Gold – Geld*, sondern *Geschenk* die nächste Bedeutung ist, zu welcher das Kotinteresse fortschreitet. Das Kind kennt kein anderes Geld, als was ihm geschenkt wird, kein erworbenes und auch kein eigenes, ererbtes. Da Kot sein erstes Geschenk ist, überträgt es leicht sein Interesse von diesem Stoff auf jenen neuen, der ihm als wichtigstes Geschenk im Leben entgegentritt. Wer an dieser Herleitung des Geschenkes zweifelt, möge seine Erfahrung in der psychoanalytischen Behandlung zu Rate ziehen, die Geschenke studieren, die er als Arzt vom Kranken erhält, und die Übertragungsstürme beachten, welche er durch ein Geschenk an den Patienten hervorrufen kann.

Das Kotinteresse wird also zum Teil als Geldinteresse fortgesetzt, zum anderen Teil in den Wunsch nach dem Kinde übergeführt. In diesem Kindwunsch treffen nun eine analerotische und eine genitale Regung (Penisneid) zusammen. Der Penis hat aber auch eine vom Kindinteresse unabhängige analerotische Bedeutung. Das Verhältnis zwischen dem Penis und dem von ihm ausgefüllten und erregten Schleimhautrohr findet sich nämlich schon in der prägenitalen, sadistisch-analen Phase vorgebildet. Der Kotballen – oder die »Kotstange« nach dem Ausdruck eines Patienten – ist sozusagen der erste Penis, die von ihm gereizte Schleimhaut die des Enddarmes. Es gibt Personen, deren Analerotik bis zur Zeit der Vorpubertät (zehn bis zwölf Jahre) stark und unverändert geblieben ist; von ihnen erfährt man, daß sie schon während dieser prägenitalen Phase in Phantasien und perversen Spielereien eine der genitalen analoge Organisation entwickelt hatten, in welcher Penis und Vagina durch die Kotstange und den Darm vertreten waren. Bei anderen – Zwangsneurotikern – kann man das Ergebnis einer regressiven Erniedrigung der Genitalorganisation kennenlernen. Es äußert sich darin, daß alle ursprünglich genital konzipierten Phantasien ins Anale versetzt, der Penis durch die Kotstange, die Vagina durch den Darm ersetzt werden.

Wenn das Kotinteresse in normaler Weise zurückgeht, so wirkt die hier dargelegte organische Analogie dahin, daß es sich auf den Penis überträgt. Erfährt man später in der Sexualforschung, daß das Kind aus dem Darm geboren wird, so wird dieses zum Haupterben der Analerotik, aber der Vorgänger des Kindes war der Penis gewesen, in diesem wie in einem anderen Sinne.

Ich bin überzeugt, daß die vielfältigen Beziehungen in der Reihe Kot – Penis – Kind nun völlig unübersichtlich geworden sind, und will darum versuchen, dem Mangel durch eine graphische Darstellung abzuhelfen, in deren Diskussion dasselbe Material nochmals, aber in anderer Folge, gewürdigt werden kann. Leider ist dieses technische Mittel nicht schmiegsam genug für unsere Absichten, oder wir haben noch nicht gelernt, es in geeigneter Weise zu gebrauchen. Ich bitte jedenfalls, an das beistehende Schema keine strengen Anforderungen zu stellen.

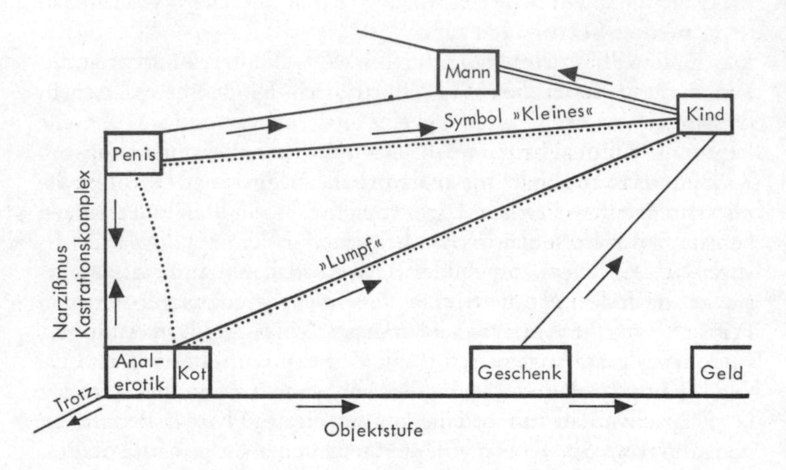

Aus der Analerotik geht in narzißtischer Verwendung der Trotz hervor als eine bedeutsame Reaktion des Ichs gegen Anforderungen der anderen; das dem Kot zugewendete Interesse übergeht in Interesse für das Geschenk und dann für das Geld. Mit dem Auftreten des Penis entsteht beim Mädchen der Penisneid, der sich später in den Wunsch nach dem Mann als Träger eines Penis umsetzt. Vorher noch hat sich der Wunsch nach dem Penis in den Wunsch nach dem Kind verwandelt, oder der Kindwunsch ist an die Stelle des Peniswunsches getreten. Eine organische Analogie zwischen Penis und Kind (punktierte Linie) drückt sich durch den Besitz eines beiden gemeinsamen Symbols aus (»das Kleine«). Vom Kindwunsch führt dann ein rationeller Weg (doppelte Linie) zum Wunsch nach dem Mann. Die Bedeutung dieser Triebumsetzung haben wir bereits gewürdigt.

Ein anderes Stück des Zusammenhanges ist weit deutlicher beim Manne zu erkennen. Es stellt sich her, wenn die Sexualforschung des Kindes das Fehlen des Penis beim Weibe in Erfahrung gebracht hat. Der Penis wird somit als etwas vom Körper Ablösbares erkannt und tritt in Analogie zum Kot, welcher das erste Stück Leiblichkeit war, auf das man verzichten mußte. Der alte Analtrotz tritt so in die Konstitution des Kastrationskomplexes ein. Die organische Analogie, derzufolge der Darminhalt den Vorläufer des Penis während der prägenitalen Phase darstellte, kann als Motiv nicht in Betracht kommen; sie findet aber durch die Sexualforschung einen psychischen Ersatz.

Wenn das Kind auftritt, wird es durch die Sexualforschung als »Lumpf« erkannt und mit mächtigem, analerotischem Interesse besetzt. Einen zweiten Zuzug aus gleicher Quelle erhält der Kindwunsch, wenn die soziale Erfahrung lehrt, daß das Kind als Liebesbeweis, als Geschenk, aufgefaßt werden kann. Alle drei, Kotsäule, Penis und Kind, sind feste Körper, welche ein Schleimhautrohr (den Enddarm und die ihm nach einem guten Worte von Lou Andreas-Salomé gleichsam abgemietete Vagina)[1] bei ihrem Eindringen oder Herausdringen erregen. Der infantilen Sexualforschung kann von diesem Sachverhalt nur bekanntwerden, daß das Kind denselben Weg nimmt wie die Kotsäule; die Funktion des Penis wird von der kindlichen Forschung in der Regel nicht aufgedeckt. Doch ist es interessant zu sehen, daß eine organische Übereinstimmung nach so vielen Umwegen wieder im Psychischen als eine unbewußte Identität zum Vorschein kommt.

---

1 »Anal« und »Sexual«, Imago, IV, 5. 1916.

DIE INFANTILE GENITALORGANISATION

(1923)

DIE INFANTILE GENITALORGANISATION

(Eine Einschaltung in die Sexualtheorie)

Es ist recht bezeichnend für die Schwierigkeit der Forschungsarbeit in der Psychoanalyse, daß es möglich ist, allgemeine Züge und charakteristische Verhältnisse trotz unausgesetzter jahrzehntelanger Beobachtung zu übersehen, bis sie einem endlich einmal unverkennbar entgegentreten; eine solche Vernachlässigung auf dem Gebiet der infantilen Sexualentwicklung möchte ich durch die nachstehenden Bemerkungen gutmachen.

Den Lesern meiner »Drei Abhandlungen zur Sexualtheorie« (1905) wird es bekannt sein, daß ich in den späteren Ausgaben dieser Schrift niemals eine Umarbeitung vorgenommen, sondern die ursprüngliche Anordnung gewahrt habe und den Fortschritten unserer Einsicht durch Einschaltungen und Abänderungen des Textes gerecht geworden bin. Dabei mag es oft vorgekommen sein, daß das Alte und das Neuere sich nicht gut zu einer widerspruchsfreien Einheit verschmelzen ließen. Anfänglich ruhte ja der Akzent auf der Darstellung der fundamentalen Verschiedenheit im Sexualleben der Kinder und der Erwachsenen, später drängten sich die *prägenitalen Organisationen* der Libido in den Vordergrund und die merkwürdige und folgenschwere Tatsache des *zweizeitigen Ansatzes* der Sexualentwicklung. Endlich nahm die infantile *Sexualforschung* unser Interesse in Anspruch, und von ihr aus ließ sich die weitgehende *Annäherung des Ausganges der kindlichen Sexualität* (um das fünfte Lebensjahr) an die Endgestaltung beim Erwachsenen erkennen. Dabei bin ich in der letzten Auflage der Sexualtheorie (1922) stehengeblieben.

Auf Seite 63 derselben[1] erwähne ich, daß »häufig oder regelmäßig bereits in den Kinderjahren eine Objektwahl vollzogen wird, wie wir sie als charakteristisch für die Entwicklungsphase der Pubertät hingestellt haben, in der Weise, daß sämtliche Sexualstrebungen die Richtung auf eine einzige Person nehmen, an der sie ihre Ziele erreichen wollen. Dies ist dann die größte Annäherung an die definitive

1 (= Ges. Werke, Bd. V [S. 100].)

Gestaltung des Sexuallebens nach der Pubertät, die in den Kinderjahren möglich ist. Der Unterschied von letzterer liegt nur noch darin, daß die Zusammenfassung der Partialtriebe und deren Unterordnung unter das Primat der Genitalien in der Kindheit nicht oder nur sehr unvollkommen durchgesetzt wird. Die Herstellung dieses Primats im Dienste der Fortpflanzung ist also die letzte Phase, welche die Sexualorganisation durchläuft.«

Mit dem Satz, das Primat der Genitalien sei in der frühinfantilen Periode nicht oder nur sehr unvollkommen durchgeführt, würde ich mich heute nicht mehr zufriedengeben. Die Annäherung des kindlichen Sexuallebens an das der Erwachsenen geht viel weiter und bezieht sich nicht nur auf das Zustandekommen einer Objektwahl. Wenn es auch nicht zu einer richtigen Zusammenfassung der Partialtriebe unter das Primat der Genitalien kommt, so gewinnt doch auf der Höhe des Entwicklungsganges der infantilen Sexualität das Interesse an den Genitalien und die Genitalbetätigung eine dominierende Bedeutung, die hinter der in der Reifezeit wenig zurücksteht. Der Hauptcharakter dieser *»infantilen Genitalorganisation«* ist zugleich ihr Unterschied von der endgültigen Genitalorganisation der Erwachsenen. Er liegt darin, daß für beide Geschlechter nur *ein Genitale*, das männliche, eine Rolle spielt. Es besteht also nicht ein Genitalprimat, sondern ein Primat des *Phallus*.

Leider können wir diese Verhältnisse nur für das männliche Kind beschreiben, in die entsprechenden Vorgänge beim kleinen Mädchen fehlt uns die Einsicht. Der kleine Knabe nimmt sicherlich den Unterschied von Männern und Frauen wahr, aber er hat zunächst keinen Anlaß, ihn mit einer Verschiedenheit ihrer Genitalien zusammenzubringen. Es ist ihm natürlich, ein ähnliches Genitale, wie er es selbst besitzt, bei allen anderen Lebewesen, Menschen und Tieren, vorauszusetzen, ja wir wissen, daß er auch an unbelebten Dingen nach einem seinem Gliede analogen Gebilde forscht.[1] Dieser leicht erregte, veränderliche, an Empfindungen so reiche Körperteil

---

1 Es ist übrigens merkwürdig, ein wie geringes Maß von Aufmerksamkeit der andere Teil des männlichen Genitales, das Säckchen mit seinen Einschlüssen, beim Kinde auf sich zieht. Aus den Analysen könnte man nicht erraten, daß noch etwas anderes als der Penis zum Genitale gehört.

beschäftigt das Interesse des Knaben in hohem Grade und stellt seinem Forschertrieb unausgesetzt neue Aufgaben. Er möchte ihn auch bei anderen Personen sehen, um ihn mit seinem eigenen zu vergleichen, er benimmt sich, als ob ihm vorschwebte, daß dieses Glied größer sein könnte und sollte; die treibende Kraft, welche dieser männliche Teil später in der Pubertät entfalten wird, äußert sich um diese Lebenszeit wesentlich als Forschungsdrang, als sexuelle Neugierde. Viele der Exhibitionen und Aggressionen, welche das Kind vornimmt und die man im späteren Alter unbedenklich als Äußerungen von Lüsternheit beurteilen würde, erweisen sich der Analyse als Experimente im Dienste der Sexualforschung angestellt.
Im Laufe dieser Untersuchungen gelangt das Kind zur Entdeckung, daß der Penis nicht ein Gemeingut aller ihm ähnlichen Wesen sei. Der zufällige Anblick der Genitalien einer kleinen Schwester oder Gespielin gibt hiezu den Anstoß; scharfsinnige Kinder haben schon vorher aus ihren Wahrnehmungen beim Urinieren der Mädchen, weil sie eine andere Stellung sehen und ein anderes Geräusch hören, den Verdacht geschöpft, daß hier etwas anders sei, und dann versucht, solche Beobachtungen in aufklärender Weise zu wiederholen. Es ist bekannt, wie sie auf die ersten Eindrücke des Penismangels reagieren. Sie leugnen diesen Mangel, glauben doch ein Glied zu sehen, beschönigen den Widerspruch zwischen Beobachtung und Vorurteil durch die Auskunft, es sei noch klein und werde erst wachsen, und kommen dann langsam zu dem affektiv bedeutsamen Schluß, es sei doch wenigstens vorhanden gewesen und dann weggenommen worden. Der Penismangel wird als Ergebnis einer Kastration erfaßt, und das Kind steht nun vor der Aufgabe, sich mit der Beziehung der Kastration zu seiner eigenen Person auseinanderzusetzen. Die weiteren Entwicklungen sind zu sehr allgemein bekannt, als daß es notwendig wäre, sie hier zu wiederholen. Es scheint mir nur, *daß man die Bedeutung des Kastrationskomplexes erst richtig würdigen kann, wenn man seine Entstehung in der Phase des Phallusprimats mitberücksichtigt.*[1]

1 Es ist mit Recht darauf hingewiesen worden, daß das Kind die Vorstellung einer narzißtischen Schädigung durch Körperverlust aus dem Verlieren der Mutterbrust nach dem Saugen, aus der täglichen Abgabe der Fäzes, ja schon

Es ist auch bekannt, wieviel Herabwürdigung des Weibes, Grauen vor dem Weib, Disposition zur Homosexualität sich aus der endlichen Überzeugung von der Penislosigkeit des Weibes ableitet. Ferenczi hat kürzlich mit vollem Recht das mythologische Symbol des Grausens, das Medusenhaupt, auf den Eindruck des penislosen weiblichen Genitales zurückgeführt.[1]

Doch darf man nicht glauben, daß das Kind seine Beobachtung, manche weibliche Personen besitzen keinen Penis, so rasch und bereitwillig verallgemeinert; dem steht schon die Annahme, daß die Penislosigkeit die Folge der Kastration als einer Strafe sei, im Wege. Im Gegenteile, das Kind meint, nur unwürdige weibliche Personen, die sich wahrscheinlich ähnlicher unerlaubter Regungen schuldig gemacht haben wie es selbst, hätten das Genitale eingebüßt. Respektierte Frauen aber wie die Mutter behalten den Penis noch lange. Weibsein fällt eben für das Kind noch nicht mit Penismangel zusammen.[2] Erst später, wenn das Kind die Probleme der Entstehung und Geburt der Kinder angreift und errät, daß nur Frauen Kinder gebären können, wird auch die Mutter des Penis verlustig, und mitunter werden ganz komplizierte Theorien aufgebaut, die den Umtausch des Penis gegen ein Kind erklären sollen. Das weibliche Genitale scheint dabei niemals entdeckt zu werden. Wie wir wissen, lebt das Kind im Leib (Darm) der Mutter und wird durch den Darmausgang geboren. Mit diesen letzten Theorien greifen wir über die Zeitdauer der infantilen Sexualperiode hinaus.

Es ist nicht unwichtig, sich vorzuhalten, welche Wandlungen die uns geläufige geschlechtliche Polarität während der kindlichen Se-

---

aus der Trennung vom Mutterleib bei der Geburt gewinnt. Von einem Kastrationskomplex sollte man aber doch erst sprechen, wenn sich diese Vorstellung eines Verlustes mit dem männlichen Genitale verknüpft hat.

1 Internationale Zeitschrift für Psychoanalyse, IX, 1923, Heft 1. Ich möchte hinzufügen, daß im Mythos das Genitale der Mutter gemeint ist. Athene, die das Medusenhaupt an ihrem Panzer trägt, wird eben dadurch das unnahbare Weib, dessen Anblick jeden Gedanken an sexuelle Annäherung erstickt.

2 Aus der Analyse einer jungen Frau erfuhr ich, daß sie, die keinen Vater und mehrere Tanten hatte, bis weit in die Latenzzeit an dem Penis der Mutter und einiger Tanten festhielt. Eine schwachsinnige Tante aber hielt sie für kastriert, wie sie sich selbst empfand.

xualentwicklung durchmacht. Ein erster Gegensatz wird mit der Objektwahl, die ja Subjekt und Objekt voraussetzt, eingeführt. Auf der Stufe der prägenitalen sadistisch-analen Organisation ist von männlich und weiblich noch nicht zu reden, der Gegensatz von *aktiv* und *passiv* ist der herrschende.[1] Auf der nun folgenden Stufe der infantilen Genitalorganisation gibt es zwar ein *männlich*, aber kein weiblich; der Gegensatz lautet hier: *männliches Genitale* oder *kastriert*. Erst mit der Vollendung der Entwicklung zur Zeit der Pubertät fällt die sexuelle Polarität mit *männlich* und *weiblich* zusammen. Das Männliche faßt das Subjekt, die Aktivität und den Besitz des Penis zusammen, das Weibliche setzt das Objekt und die Passivität fort. Die Vagina wird nun als Herberge des Penis geschätzt, sie tritt das Erbe des Mutterleibes an.

---

1 Siehe: Drei Abhandlungen zur Sexualtheorie, 5. Auflage, S. 62. (= Ges. Werke, Bd. V [S. 99].)

DER UNTERGANG DES ÖDIPUSKOMPLEXES

(1924)

DER UNTERGANG DES ÖDIPUSKOMPLEXES

Immer mehr enthüllt der Ödipuskomplex seine Bedeutung als das zentrale Phänomen der frühkindlichen Sexualperiode. Dann geht er unter, er erliegt der Verdrängung, wie wir sagen, und ihm folgt die Latenzzeit. Es ist aber noch nicht klar geworden, woran er zugrunde geht; die Analysen scheinen zu lehren: an den vorfallenden schmerzhaften Enttäuschungen. Das kleine Mädchen, das sich für die bevorzugte Geliebte des Vaters halten will, muß einmal eine harte Züchtigung durch den Vater erleben und sieht sich aus allen Himmeln gestürzt. Der Knabe, der die Mutter als sein Eigentum betrachtet, macht die Erfahrung, daß sie Liebe und Sorgfalt von ihm weg auf einen neu Angekommenen richtet. Die Überlegung vertieft den Wert dieser Einwirkungen, indem sie betont, daß solche peinliche Erfahrungen, die dem Inhalt des Komplexes widerstreiten, unvermeidlich sind. Auch wo nicht besondere Ereignisse, wie die als Proben erwähnten, vorfallen, muß das Ausbleiben der erhofften Befriedigung, die fortgesetzte Versagung des gewünschten Kindes, es dahin bringen, daß sich der kleine Verliebte von seiner hoffnungslosen Neigung abwendet. Der Ödipuskomplex ginge so zugrunde an seinem Mißerfolg, dem Ergebnis seiner inneren Unmöglichkeit.
Eine andere Auffassung wird sagen, der Ödipuskomplex muß fallen, weil die Zeit für seine Auflösung gekommen ist, wie die Milchzähne ausfallen, wenn die definitiven nachrücken. Wenn der Ödipuskomplex auch von den meisten Menschenkindern individuell durchlebt wird, so ist er doch ein durch die Heredität bestimmtes, von ihr angelegtes Phänomen, welches programmgemäß vergehen muß, wenn die nächste vorherbestimmte Entwicklungsphase einsetzt. Es ist dann ziemlich gleichgültig, auf welche Anlässe hin das geschieht oder ob solche überhaupt nicht ausfindig zu machen sind.
Beiden Auffassungen kann man ihr Recht nicht abstreiten. Sie vertragen sich aber auch miteinander; es bleibt Raum für die ontogenetische neben der weiter schauenden phylogenetischen. Auch dem ganzen Individuum ist es ja schon bei seiner Geburt bestimmt zu

sterben, und seine Organanlage enthält vielleicht bereits den Hinweis, woran. Doch bleibt es von Interesse zu verfolgen, wie dies mitgebrachte Programm ausgeführt wird, in welcher Weise zufällige Schädlichkeiten die Disposition ausnützen.

Unser Sinn ist neuerlich für die Wahrnehmung geschärft worden, daß die Sexualentwicklung des Kindes bis zu einer Phase fortschreitet, in der das Genitale bereits die führende Rolle übernommen hat. Aber dies Genitale ist allein das männliche, genauer bezeichnet der Penis, das weibliche ist unentdeckt geblieben. Diese phallische Phase, gleichzeitig die des Ödipuskomplexes, entwickelt sich nicht weiter zur endgültigen Genitalorganisation, sondern sie versinkt und wird von der Latenzzeit abgelöst. Ihr Ausgang vollzieht sich aber in typischer Weise und in Anlehnung an regelmäßig wiederkehrende Geschehnisse.

Wenn das (männliche) Kind sein Interesse dem Genitale zugewendet hat, so verrät es dies auch durch ausgiebige manuelle Beschäftigung mit demselben und muß dann die Erfahrung machen, daß die Erwachsenen mit diesem Tun nicht einverstanden sind. Es tritt mehr oder minder deutlich, mehr oder weniger brutal, die Drohung auf, daß man ihn dieses von ihm hochgeschätzten Teiles berauben werde. Meist sind es Frauen, von denen die Kastrationsdrohung ausgeht, häufig suchen sie ihre Autorität dadurch zu verstärken, daß sie sich auf den Vater oder den Doktor berufen, der nach ihrer Versicherung die Strafe vollziehen wird. In einer Anzahl von Fällen nehmen die Frauen selbst eine symbolische Milderung der Androhung vor, indem sie nicht die Beseitigung des eigentlich passiven Genitales, sondern die der aktiv sündigenden Hand ankündigen. Ganz besonders häufig geschieht es, daß das Knäblein nicht darum von der Kastrationsdrohung betroffen wird, weil es mit der Hand am Penis spielt, sondern weil es allnächtlich sein Lager näßt und nicht rein zu bekommen ist. Die Pflegepersonen benehmen sich so, als wäre diese nächtliche Inkontinenz Folge von und Beweis für allzueifrige Beschäftigung mit dem Penis, und haben wahrscheinlich recht darin. Jedenfalls ist das andauernde Bettnässen der Pollution des Erwachsenen gleichzustellen, ein Ausdruck der nämlichen Genitalerregung, welche das Kind um diese Zeit zur Masturbation gedrängt hat.

Die Behauptung ist nun, daß die phallische Genitalorganisation des

Kindes an dieser Kastrationsdrohung zugrunde geht. Allerdings nicht sofort und nicht ohne daß weitere Einwirkungen dazukommen. Denn der Knabe schenkt der Drohung zunächst keinen Glauben und keinen Gehorsam. Die Psychoanalyse hat neuerlichen Wert auf zweierlei Erfahrungen gelegt, die keinem Kinde erspart bleiben und durch die es auf den Verlust wertgeschätzter Körperteile vorbereitet sein sollte, auf die zunächst zeitweilige, später einmal endgültige Entziehung der Mutterbrust und auf die täglich erforderte Abtrennung des Darminhaltes. Aber man merkt nichts davon, daß diese Erfahrungen beim Anlaß der Kastrationsdrohung zur Wirkung kommen würden. Erst nachdem eine neue Erfahrung gemacht worden ist, beginnt das Kind mit der Möglichkeit einer Kastration zu rechnen, auch dann nur zögernd, widerwillig und nicht ohne das Bemühen, die Tragweite der eigenen Beobachtung zu verkleinern.
Die Beobachtung, welche den Unglauben des Kindes endlich bricht, ist die des weiblichen Genitales. Irgend einmal bekommt das auf seinen Penisbesitz stolze Kind die Genitalregion eines kleinen Mädchens zu Gesicht und muß sich von dem Mangel eines Penis bei einem ihm so ähnlichen Wesen überzeugen. Damit ist auch der eigene Penisverlust vorstellbar geworden, die Kastrationsdrohung gelangt nachträglich zur Wirkung.
Wir dürfen nicht so kurzsichtig sein wie die mit der Kastration drohende Pflegeperson und sollen nicht übersehen, daß sich das Sexualleben des Kindes um diese Zeit keineswegs in der Masturbation erschöpft. Es steht nachweisbar in der Ödipuseinstellung zu seinen Eltern, die Masturbation ist nur die genitale Abfuhr der zum Komplex gehörigen Sexualerregung und wird dieser Beziehung ihre Bedeutung für alle späteren Zeiten verdanken. Der Ödipuskomplex bot dem Kinde zwei Möglichkeiten der Befriedigung, eine aktive und eine passive. Es konnte sich in männlicher Weise an die Stelle des Vaters setzen und wie er mit der Mutter verkehren, wobei der Vater bald als Hindernis empfunden wurde, oder es wollte die Mutter ersetzen und sich vom Vater lieben lassen, wobei die Mutter überflüssig wurde. Worin der befriedigende Liebesverkehr bestehe, darüber mochte das Kind nur sehr unbestimmte Vorstellungen haben; gewiß spielte aber der Penis dabei eine Rolle, denn dies bezeugten seine Organgefühle. Zum Zweifel am Penis des Weibes war noch

kein Anlaß. Die Annahme der Kastrationsmöglichkeit, die Einsicht, daß das Weib kastriert sei, machte nun beiden Möglichkeiten der Befriedigung aus dem Ödipuskomplex ein Ende. Beide brachten ja den Verlust des Penis mit sich, die eine, männliche, als Straffolge, die andere, weibliche, als Voraussetzung. Wenn die Liebesbefriedigung auf dem Boden des Ödipuskomplexes den Penis kosten soll, so muß es zum Konflikt zwischen dem narzißtischen Interesse an diesem Körperteile und der libidinösen Besetzung der elterlichen Objekte kommen. In diesem Konflikt siegt normalerweise die erstere Macht; das Ich des Kindes wendet sich vom Ödipuskomplex ab.

Ich habe an anderer Stelle ausgeführt, in welcher Weise dies vor sich geht. Die Objektbesetzungen werden aufgegeben und durch Identifizierung ersetzt. Die ins Ich introjizierte Vater- oder Elternautorität bildet dort den Kern des Über-Ichs, welches vom Vater die Strenge entlehnt, sein Inzestverbot perpetuiert und so das Ich gegen die Wiederkehr der libidinösen Objektbesetzung versichert. Die dem Ödipuskomplex zugehörigen libidinösen Strebungen werden zum Teil desexualisiert und sublimiert, was wahrscheinlich bei jeder Umsetzung in Identifizierung geschieht, zum Teil zielgehemmt und in zärtliche Regungen verwandelt. Der ganze Prozeß hat einerseits das Genitale gerettet, die Gefahr des Verlustes von ihm abgewendet, anderseits es lahmgelegt, seine Funktion aufgehoben. Mit ihm setzt die Latenzzeit ein, die nun die Sexualentwicklung des Kindes unterbricht.

Ich sehe keinen Grund, der Abwendung des Ichs vom Ödipuskomplex den Namen einer »Verdrängung« zu versagen, obwohl spätere Verdrängungen meist unter der Beteiligung des Über-Ichs zustande kommen werden, welches hier erst gebildet wird. Aber der beschriebene Prozeß ist mehr als eine Verdrängung, er kommt, wenn ideal vollzogen, einer Zerstörung und Aufhebung des Komplexes gleich. Es liegt nahe anzunehmen, daß wir hier auf die niemals ganz scharfe Grenzscheide zwischen Normalem und Pathologischem gestoßen sind. Wenn das Ich wirklich nicht viel mehr als eine Verdrängung des Komplexes erreicht hat, dann bleibt dieser im Es unbewußt bestehen und wird später seine pathogene Wirkung äußern.

Solche Zusammenhänge zwischen phallischer Organisation, Ödipuskomplex, Kastrationsdrohung, Über-Ichbildung und Latenzperiode läßt die analytische Beobachtung erkennen oder erraten. Sie rechtfertigen den Satz, daß der Ödipuskomplex an der Kastrationsdrohung zugrunde geht. Aber damit ist das Problem nicht erledigt, es bleibt Raum für eine theoretische Spekulation, welche das gewonnene Resultat umwerfen oder in ein neues Licht rücken kann. Ehe wir aber diesen Weg beschreiten, müssen wir uns einer Frage zuwenden, welche sich während unserer bisherigen Erörterungen erhoben hat und so lange zur Seite gedrängt wurde. Der beschriebene Vorgang bezieht sich, wie ausdrücklich gesagt, nur auf das männliche Kind. Wie vollzieht sich die entsprechende Entwicklung beim kleinen Mädchen?

Unser Material wird hier – unverständlicherweise – weit dunkler und lückenhafter. Auch das weibliche Geschlecht entwickelt einen Ödipuskomplex, ein Über-Ich und eine Latenzzeit. Kann man ihm auch eine phallische Organisation und einen Kastrationskomplex zusprechen? Die Antwort lautet bejahend, aber es kann nicht dasselbe sein wie beim Knaben. Die feministische Forderung nach Gleichberechtigung der Geschlechter trägt hier nicht weit, der morphologische Unterschied muß sich in Verschiedenheiten der psychischen Entwicklung äußern. Die Anatomie ist das Schicksal, um ein Wort Napoleons zu variieren. Die Klitoris des Mädchens benimmt sich zunächst ganz wie ein Penis, aber das Kind nimmt durch die Vergleichung mit einem männlichen Gespielen wahr, daß es »zu kurz gekommen« ist, und empfindet diese Tatsache als Benachteiligung und Grund zur Minderwertigkeit. Es tröstet sich noch eine Weile mit der Erwartung, später, wenn es heranwächst, ein ebenso großes Anhängsel wie ein Bub zu bekommen. Hier zweigt dann der Männlichkeitskomplex des Weibes ab. Seinen aktuellen Mangel versteht das weibliche Kind aber nicht als Geschlechtscharakter, sondern erklärt ihn durch die Annahme, daß es früher einmal ein ebenso großes Glied besessen und dann durch Kastration verloren hat. Es scheint diesen Schluß nicht von sich auf andere, erwachsene Frauen auszudehnen, sondern diesen, ganz im Sinne der phallischen Phase, ein großes und vollständiges, also männliches, Genitale zuzumuten. Es ergibt sich also der wesentliche Unterschied, daß das Mädchen die Kastration als vollzogene Tatsache akzeptiert, während sich der Knabe vor der Möglichkeit ihrer Vollziehung fürchtet.

Mit der Ausschaltung der Kastrationsangst entfällt auch ein mächtiges Motiv zur Aufrichtung des Über-Ichs und zum Abbruch der infantilen Genitalorganisation. Diese Veränderungen scheinen weit eher als beim Knaben Erfolg der Erziehung, der äußeren Einschüchterung zu sein, die mit dem Verlust des Geliebtwerdens droht. Der Ödipuskomplex des Mädchens ist weit eindeutiger als der des kleinen Penisträgers, er geht nach meiner Erfahrung nur selten über die Substituierung der Mutter und die feminine Einstellung zum Vater hinaus. Der Verzicht auf den Penis wird nicht ohne einen Versuch der Entschädigung vertragen. Das Mädchen gleitet – man möchte sagen: längs einer symbolischen Gleichung – vom Penis auf das Kind hinüber, sein Ödipuskomplex gipfelt in dem lange festgehaltenen Wunsch, vom Vater ein Kind als Geschenk zu erhalten, ihm ein Kind zu gebären. Man hat den Eindruck, daß der Ödipuskomplex dann langsam verlassen wird, weil dieser Wunsch sich nie erfüllt. Die beiden Wünsche nach dem Besitz eines Penis und eines Kindes bleiben im Unbewußten stark besetzt erhalten und helfen dazu, das weibliche Wesen für seine spätere geschlechtliche Rolle bereitzumachen. Die geringere Stärke des sadistischen Beitrages zum Sexualtrieb, die man wohl mit der Verkümmerung des Penis zusammenbringen darf, erleichtert die Verwandlung der direkt sexuellen Strebungen in zielgehemmte zärtliche. Im ganzen muß man aber zugestehen, daß unsere Einsichten in diese Entwicklungsvorgänge beim Mädchen unbefriedigend, lücken- und schattenhaft sind.

Ich zweifle nicht daran, daß die hier beschriebenen zeitlichen und kausalen Beziehungen zwischen Ödipuskomplex, Sexualeinschüchterung (Kastrationsdrohung), Über-Ichbildung und Eintritt der Latenzzeit von typischer Art sind; ich will aber nicht behaupten, daß dieser Typus der einzig mögliche ist. Abänderungen in der Zeitfolge und in der Verkettung dieser Vorgänge müssen für die Entwicklung des Individuums sehr bedeutungsvoll werden.

Seit der Veröffentlichung von O. Ranks interessanter Studie über das »Trauma der Geburt« kann man auch das Resultat dieser kleinen Untersuchung, der Ödipuskomplex des Knaben gehe an der Kastrationsangst zugrunde, nicht ohne weitere Diskussion hinnehmen. Es erscheint mir aber vorzeitig, heute in diese Diskussion einzugehen, vielleicht auch unzweckmäßig, die Kritik oder Würdigung der Rankschen Auffassung an solcher Stelle zu beginnen.

EINIGE PSYCHISCHE FOLGEN DES ANATOMISCHEN GESCHLECHTSUNTERSCHIEDS

(1925)

EINIGE PSYCHISCHE FOLGEN DES ANATOMISCHEN GESCHLECHTSUNTERSCHIEDS

Meine und meiner Schüler Arbeiten vertreten mit stetig wachsender Entschiedenheit die Forderung, daß die Analyse der Neurotiker auch die erste Kindheitsperiode, die Zeit der Frühblüte des Sexuallebens, durchdringen müsse. Nur wenn man die ersten Äußerungen der mitgebrachten Triebkonstitution und die Wirkungen der frühesten Lebenseindrücke erforscht, kann man die Triebkräfte der späteren Neurose richtig erkennen und ist gesichert gegen die Irrtümer, zu denen man durch die Umbildungen und Überlagerungen der Reifezeit verlockt würde. Diese Forderung ist nicht nur theoretisch bedeutsam, sie hat auch praktische Wichtigkeit, denn sie scheidet unsere Bemühungen von der Arbeit solcher Ärzte, die, nur therapeutisch orientiert, sich eine Strecke weit analytischer Methoden bedienen. Solch eine Frühzeitanalyse ist langwierig, mühselig und stellt Ansprüche an Arzt und Patient, deren Erfüllung die Praxis nicht immer entgegenkommt. Sie führt ferner in Dunkelheiten, durch welche uns noch immer die Wegweiser fehlen. Ja, ich meine, man darf den Analytikern die Versicherung geben, daß ihrer wissenschaftlichen Arbeit die Gefahr, mechanisiert und damit uninteressant zu werden, auch für die nächsten Jahrzehnte nicht droht.

Im folgenden teile ich ein Ergebnis der analytischen Forschung mit, das sehr wichtig wäre, wenn es sich als allgemein gültig erweisen ließe. Warum schiebe ich die Veröffentlichung nicht auf, bis mir eine reichere Erfahrung diesen Nachweis, wenn er zu erbringen ist, geliefert hat? Weil in meinen Arbeitsbedingungen eine Veränderung eingetreten ist, deren Folgen ich nicht verleugnen kann. Früher einmal gehörte ich nicht zu denen, die eine vermeintliche Neuheit nicht eine Weile bei sich behalten können, bis sie Bekräftigung oder Berichtigung gefunden hat. Die »Traumdeutung« und das »Bruchstück einer Hysterie-Analyse« (der Fall Dora) sind, wenn nicht durch neun Jahre nach dem Horazischen Rezept, so doch durch vier bis fünf Jahre von mir unterdrückt worden, ehe ich sie der Öffentlichkeit preisgab. Aber damals dehnte sich die Zeit unabsehbar vor mir aus – *oceans of time*, wie ein liebenswürdiger Dichter sagt –, und das Material strömte mir so reichlich zu, daß ich mich der Erfahrungen kaum erwehren konnte. Auch war ich der einzige Arbeiter auf einem neuen Gebiet, meine Zurückhaltung brachte mir keine Gefahr und anderen keinen Schaden.

Das ist nun alles anders geworden. Die Zeit vor mir ist begrenzt, sie wird nicht mehr vollständig von der Arbeit ausgenützt; die Gelegenheiten, neue Erfahrungen zu machen, kommen also nicht so reichlich. Wenn ich etwas Neues zu sehen glaube, bleibt es mir unsicher, ob ich die Bestätigung abwarten kann. Auch ist alles bereits abgeschöpft, was an der Oberfläche dahintrieb; das übrige muß in langsamer Bemühung aus der Tiefe geholt werden. Endlich bin ich nicht mehr allein, eine Schar von eifrigen Mitarbeitern ist bereit, sich auch das Unfertige, unsicher Erkannte zunutze zu machen, ich darf ihnen den Anteil der Arbeit überlassen, den ich sonst selbst besorgt hätte. So fühle ich mich gerechtfertigt, diesmal etwas mitzuteilen, was dringend der Nachprüfung bedarf, ehe es in seinem Wert oder Unwert erkannt werden kann.

Wenn wir die ersten psychischen Gestaltungen des Sexuallebens beim Kinde untersuchten, nahmen wir regelmäßig das männliche Kind, den kleinen Knaben, zum Objekt. Beim kleinen Mädchen, meinten wir, müsse es ähnlich zugehen, aber doch in irgendeiner Weise anders. An welcher Stelle des Entwicklungsganges diese Verschiedenheit zu finden ist, das wollte sich nicht klar ergeben.

Die Situation des Ödipus-Komplexes ist die erste Station, die wir beim Knaben mit Sicherheit erkennen. Sie ist uns leicht verständlich, weil in ihr das Kind an demselben Objekt festhält, das es bereits in der vorhergehenden Säuglings- und Pflegeperiode mit seiner noch nicht genitalen Libido besetzt hatte. Auch daß es dabei den Vater als störenden Rivalen empfindet, den es beseitigen und ersetzen möchte, leitet sich glatt aus den realen Verhältnissen ab. Daß die Ödipus-Einstellung des Knaben der phallischen Phase angehört und an der Kastrationsangst, also am narzißtischen Interesse für das Genitale, zugrunde geht, habe ich an anderer Stelle[1] ausgeführt.

---

1 Der Untergang des Ödipuskomplexes (Bd. XIII dieser Gesamtausgabe [oben, S. 161–168].)

Eine Erschwerung des Verständnisses ergibt sich aus der Komplikation, daß der Ödipus-Komplex selbst beim Knaben doppelsinnig angelegt ist, aktiv und passiv, der bisexuellen Anlage entsprechend. Der Knabe will auch als Liebesobjekt des Vaters die Mutter ersetzen, was wir als feminine Einstellung bezeichnen.

An der Vorgeschichte des Ödipus-Komplexes beim Knaben ist uns noch lange nicht alles klar. Wir kennen aus ihr eine Identifizierung mit dem Vater zärtlicher Natur, welcher der Sinn der Rivalität bei der Mutter noch abgeht. Ein anderes Element dieser Vorzeit ist die, wie ich meine, nie ausbleibende masturbatorische Betätigung am Genitale, die frühkindliche Onanie, deren mehr oder minder gewalttätige Unterdrückung von seiten der Pflegepersonen den Kastrationskomplex aktiviert. Wir nehmen an, daß diese Onanie am Ödipus-Komplex hängt und die Abfuhr seiner Sexualerregung bedeutet. Ob sie von Anfang an diese Beziehung hat oder nicht vielmehr spontan als Organbetätigung auftritt und erst später den Anschluß an den Ödipuskomplex gewinnt, ist unsicher; die letztere Möglichkeit ist die weitaus wahrscheinlichere. Fraglich ist auch noch die Rolle des Bettnässens und seiner Abgewöhnung durch die Eingriffe der Erziehung. Wir bevorzugen die einfache Synthese, das fortgesetzte Bettnässen sei der Erfolg der Onanie, seine Unterdrükkung werde vom Knaben wie eine Hemmung der Genitaltätigkeit, also im Sinne einer Kastrationsdrohung gewertet, aber ob wir damit jedesmal recht haben, steht dahin. Endlich läßt uns die Analyse schattenhaft erkennen, wie eine Belauschung des elterlichen Koitus in sehr früher Kinderzeit die erste sexuelle Erregung setzen und durch ihre nachträglichen Wirkungen der Ausgangspunkt für die ganze Sexualentwicklung werden kann. Die Onanie sowie die beiden Einstellungen des Ödipus-Komplexes knüpfen späterhin an den in der Folge gedeuteten Eindruck an. Allein wir können nicht annehmen, daß solche Koitusbeobachtungen ein regelmäßiges Vorkommnis sind, und stoßen hier mit dem Problem der »Urphantasien« zusammen. So vieles ist also auch in der Vorgeschichte des Ödipus-Komplexes beim Knaben noch ungeklärt, harrt der Sichtung und der Entscheidung, ob immer der nämliche Hergang anzunehmen ist, oder ob nicht sehr verschiedenartige Vorstadien zum Treffpunkt der gleichen Endsituation führen.

Der Ödipus-Komplex des kleinen Mädchens birgt ein Problem mehr als der des Knaben. Die Mutter war anfänglich beiden das erste Objekt, wir haben uns nicht zu verwundern, wenn der Knabe es für den Ödipus-Komplex beibehält. Aber wie kommt das Mädchen dazu, es aufzugeben und dafür den Vater zum Objekt zu nehmen? In der Verfolgung dieser Frage habe ich einige Feststellungen machen können, die gerade auf die Vorgeschichte der Ödipus-Relation beim Mädchen Licht werfen können.

Jeder Analytiker hat die Frauen kennengelernt, die mit besonderer Intensität und Zähigkeit an ihrer Vaterbindung festhalten und an dem Wunsch, vom Vater ein Kind zu bekommen, in dem diese gipfelt. Man hat guten Grund anzunehmen, daß diese Wunschphantasie auch die Triebkraft ihrer infantilen Onanie war, und gewinnt leicht den Eindruck, hier vor einer elementaren, nicht weiter auflösbaren Tatsache des kindlichen Sexuallebens zu stehen. Eingehende Analyse gerade dieser Fälle zeigt aber etwas anderes, nämlich daß der Ödipus-Komplex hier eine lange Vorgeschichte hat und eine gewissermaßen sekundäre Bildung ist.

Nach einer Bemerkung des alten Kinderarztes Lindner[1] entdeckt das Kind die lustspendende Genitalzone – Penis oder Klitoris – während des Wonnesaugens (Lutschens). Ich will es dahingestellt sein lassen, ob das Kind diese neugewonnene Lustquelle wirklich zum Ersatz für die kürzlich verlorene Brustwarze der Mutter nimmt, worauf spätere Phantasien (Fellatio) deuten mögen. Kurz, die Genitalzone wird irgendeinmal entdeckt, und es scheint unberechtigt, den ersten Betätigungen an ihr einen psychischen Inhalt unterzulegen. Der nächste Schritt in der so beginnenden phallischen Phase ist aber nicht die Verknüpfung dieser Onanie mit den Objektbesetzungen des Ödipus-Komplexes, sondern eine folgenschwere Entdeckung, die dem kleinen Mädchen beschieden ist. Es bemerkt den auffällig sichtbaren, groß angelegten Penis eines Bruders oder Gespielen, erkennt ihn sofort als überlegenes Gegenstück seines eigenen, kleinen und versteckten Organs und ist von da an dem Penisneid verfallen.

---

1 Siehe: Drei Abhandlungen zur Sexualtheorie. (Bd. V dieser Gesamtausgabe [der *Gesammelten Werke*; S. 80 f.].)

Ein interessanter Gegensatz im Verhalten der beiden Geschlechter: Im analogen Falle, wenn der kleine Knabe die Genitalgegend des Mädchens zuerst erblickt, benimmt er sich unschlüssig, zunächst wenig interessiert; er sieht nichts, oder er verleugnet seine Wahrnehmung, schwächt sie ab, sucht nach Auskünften, um sie mit seiner Erwartung in Einklang zu bringen. Erst später, wenn eine Kastrationsdrohung auf ihn Einfluß gewonnen hat, wird diese Beobachtung für ihn bedeutungsvoll werden; ihre Erinnerung oder Erneuerung regt einen fürchterlichen Affektsturm in ihm an und unterwirft ihn dem Glauben an die Wirklichkeit der bisher verlachten Androhung. Zwei Reaktionen werden aus diesem Zusammentreffen hervorgehen, die sich fixieren können und dann jede einzeln oder beide vereint oder zusammen mit anderen Momenten sein Verhältnis zum Weib dauernd bestimmen werden: Abscheu vor dem verstümmelten Geschöpf oder triumphierende Geringschätzung desselben. Aber diese Entwicklungen gehören einer, wenn auch nicht weit entfernten Zukunft an.

Anders das kleine Mädchen. Sie ist im Nu fertig mit ihrem Urteil und ihrem Entschluß. Sie hat es gesehen, weiß, daß sie es nicht hat, und will es haben.[1]

An dieser Stelle zweigt der sogenannte Männlichkeitskomplex des Weibes ab, welcher der vorgezeichneten Entwicklung zur Weiblichkeit eventuell große Schwierigkeiten bereiten wird, wenn es nicht gelingt, ihn bald zu überwinden. Die Hoffnung, doch noch einmal einen Penis zu bekommen und dadurch dem Manne gleich zu werden, kann sich bis in unwahrscheinlich späte Zeiten erhalten und zum Motiv für sonderbare, sonst unverständliche Handlungen werden. Oder es tritt der Vorgang ein, den ich als *Verleugnung* bezeichnen möchte, der im kindlichen Seelenleben weder selten noch sehr gefährlich zu sein scheint, der aber beim Erwachsenen eine

---

1 Hier ist der Anlaß, eine Behauptung zu berichtigen, die ich vor Jahren aufgestellt habe. Ich meinte, das Sexualinteresse der Kinder werde nicht wie das der Heranreifenden durch den Geschlechtsunterschied geweckt, sondern entzünde sich an dem Problem, woher die Kinder kommen. Das trifft also wenigstens für das Mädchen gewiß nicht zu. Beim Knaben wird es wohl das eine Mal so, das andere Mal anders zugehen können, oder bei beiden Geschlechtern werden die zufälligen Anlässe des Lebens darüber entscheiden.

Psychose einleiten würde. Das Mädchen verweigert es, die Tatsache ihrer Kastration anzunehmen, versteift sich in der Überzeugung, daß sie doch einen Penis besitzt, und ist gezwungen, sich in der Folge so zu benehmen, als ob sie ein Mann wäre.

Die psychischen Folgen des Penisneides, soweit er nicht in der Reaktionsbildung des Männlichkeitskomplexes aufgeht, sind vielfältige und weittragende. Mit der Anerkennung seiner narzißtischen Wunde stellt sich – gleichsam als Narbe – ein Minderwertigkeitsgefühl beim Weibe her. Nachdem es den ersten Versuch, seinen Penismangel als persönliche Strafe zu erklären, überwunden und die Allgemeinheit dieses Geschlechtscharakters erfaßt hat, beginnt es, die Geringschätzung des Mannes für das in einem entscheidenden Punkt verkürzte Geschlecht zu teilen, und hält wenigstens in diesem Urteil an der eigenen Gleichstellung mit dem Manne fest.[1]

Auch wenn der Penisneid auf sein eigentliches Objekt verzichtet hat, hört er nicht auf zu existieren, er lebt in der Charaktereigenschaft der *Eifersucht* mit leichter Verschiebung fort. Gewiß ist die Eifersucht nicht allein einem Geschlecht eigen und begründet sich auf einer breiteren Basis, aber ich meine, daß sie doch im Seelenleben des Weibes eine weitaus größere Rolle spielt, weil sie aus der Quelle des abgelenkten Penisneides eine ungeheure Verstärkung bezieht. Ehe ich noch diese Ableitung der Eifersucht kannte, hatte ich für die bei Mädchen so häufige Onaniephantasie »Ein Kind wird geschlagen« eine erste Phase konstruiert, in der sie die Bedeutung hat, ein

1 Ich habe schon in meiner ersten kritischen Äußerung »Zur Geschichte der psychoanalytischen Bewegung« (1914) erkannt, daß dies der Wahrheitskern der Adlerschen Lehre ist, die kein Bedenken trägt, die ganze Welt aus diesem einen Punkte (Organminderwertigkeit – männlicher Protest – Abrücken von der weiblichen Linie) zu erklären, und sich dabei rühmt, die Sexualität zugunsten des Machtstrebens ihrer Bedeutung beraubt zu haben! Das einzige »minderwertige« Organ, das ohne Zweideutigkeit diesen Namen verdient, wäre also die Klitoris. Anderseits hört man, daß Analytiker sich rühmen, trotz jahrzehntelanger Bemühung nichts von der Existenz eines Kastrationskomplexes wahrgenommen zu haben. Man muß sich vor der Größe dieser Leistung in Bewunderung beugen, wenn es auch nur eine negative Leistung, ein Kunststück im Übersehen und Verkennen ist. Die beiden Lehren ergeben ein interessantes Gegensatzpaar: Hier keine Spur von einem Kastrationskomplex, dort nichts anderes als Folgen desselben.

anderes Kind, auf das man als Rivalen eifersüchtig ist, soll geschlagen werden.[1] Diese Phantasie scheint ein Relikt aus der phallischen Periode der Mädchen; die eigentümliche Starrheit, die mir an der monotonen Formel: Ein Kind wird geschlagen, auffiel, läßt wahrscheinlich noch eine besondere Deutung zu. Das Kind, das da geschlagen – geliebkost wird, mag im Grunde nichts anderes sein, als die Klitoris selbst, so daß die Aussage zu allertiefst das Eingeständnis der Masturbation enthält, die sich vom Anfang in der phallischen Phase bis in späte Zeiten an den Inhalt der Formel knüpft.

Eine dritte Abfolge des Penisneides scheint die Lockerung des zärtlichen Verhältnisses zum Mutterobjekt. Man versteht den Zusammenhang nicht sehr gut, überzeugt sich aber, daß am Ende fast immer die Mutter für den Penismangel verantwortlich gemacht wird, die das Kind mit so ungenügender Ausrüstung in die Welt geschickt hat. Der historische Hergang ist oft der, daß bald nach der Entdeckung der Benachteiligung am Genitale Eifersucht gegen ein anderes Kind auftritt, das von der Mutter angeblich mehr geliebt wird, wodurch eine Motivierung für die Lösung von der Mutterbindung gewonnen ist. Dazu stimmt es dann, wenn dies von der Mutter bevorzugte Kind das erste Objekt der in Masturbation auslaufenden Schlagephantasie wird.

Eine andere überraschende Wirkung des Penisneides – oder der Entdeckung der Minderwertigkeit der Klitoris – ist gewiß die wichtigste von allen. Ich hatte oftmals vorher den Eindruck gewonnen, daß das Weib im allgemeinen die Masturbation schlechter verträgt als der Mann, sich öfter gegen sie sträubt und außerstande ist, sich ihrer zu bedienen, wo der Mann unter gleichen Verhältnissen unbedenklich zu diesem Auskunftsmittel gegriffen hätte. Es ist begreiflich, daß die Erfahrung ungezählte Ausnahmen von diesem Satz aufweisen würde, wenn man ihn als Regel aufstellen wollte. Die Reaktionen der menschlichen Individuen beiderlei Geschlechts sind ja aus männlichen und weiblichen Zügen gemengt. Aber es blieb doch der Anschein übrig, daß der Natur des Weibes die Masturbation ferner liege, und man konnte zur Lösung des angenommenen Pro-

---

1 »Ein Kind wird geschlagen.« (Bd. XII dieser Gesamtausgabe [der *Gesammelten Werke*].)

blems die Erwägung heranziehen, daß wenigstens die Masturbation an der Klitoris eine männliche Betätigung sei, und daß die Entfaltung der Weiblichkeit die Wegschaffung der Klitorissexualität zur Bedingung habe. Die Analysen der phallischen Vorzeit haben mich nun gelehrt, daß beim Mädchen bald nach den Anzeichen des Penisneides eine intensive Gegenströmung gegen die Onanie auftritt, die nicht allein auf den Einfluß der erziehenden Pflegeperson zurückgeführt werden kann. Diese Regung ist offenbar ein Vorbote jenes Verdrängungsschubes, der zur Zeit der Pubertät ein großes Stück der männlichen Sexualität beseitigen wird, um Raum für die Entwicklung der Weiblichkeit zu schaffen. Es mag sein, daß diese erste Opposition gegen die autoerotische Betätigung ihr Ziel nicht erreicht. So war es auch in den von mir analysierten Fällen. Der Konflikt setzte sich dann fort, und das Mädchen tat damals wie später alles, um sich vom Zwang zur Onanie zu befreien. Manche späteren Äußerungen des Sexuallebens beim Weibe bleiben unverständlich, wenn man dies starke Motiv nicht erkennt.

Ich kann mir diese Auflehnung des kleinen Mädchens gegen die phallische Onanie nicht anders als durch die Annahme erklären, daß ihm diese lustbringende Betätigung durch ein nebenhergehendes Moment arg verleidet wird. Dieses Moment brauchte man dann nicht weit weg zu suchen; es müßte die mit dem Penisneid verknüpfte narzißtische Kränkung sein, die Mahnung, daß man es in diesem Punkte doch nicht mit dem Knaben aufnehmen kann und darum die Konkurrenz mit ihm am besten unterläßt. In solcher Weise drängt die Erkenntnis des anatomischen Geschlechtsunterschieds das kleine Mädchen von der Männlichkeit und von der männlichen Onanie weg in neue Bahnen, die zur Entfaltung der Weiblichkeit führen.

Vom Ödipus-Komplex war bisher nicht die Rede, er hatte auch soweit keine Rolle gespielt. Nun aber gleitet die Libido des Mädchens – man kann nur sagen: längs der vorgezeichneten symbolischen Gleichung Penis = Kind – in eine neue Position. Es gibt den Wunsch nach dem Penis auf, um den Wunsch nach einem Kinde an die Stelle zu setzen, und nimmt *in dieser Absicht* den Vater zum Liebesobjekt. Die Mutter wird zum Objekt der Eifersucht, aus dem Mädchen ist ein kleines Weib geworden. Wenn ich einer vereinzelten analytischen Erhebung glauben darf, kann es in dieser neuen Situation zu körperlichen Sensationen kommen, die als vorzeitiges Erwachen des weiblichen Genitalapparates zu beurteilen sind. Wenn diese Vaterbindung später als verunglückt aufgegeben werden muß, kann sie einer Vateridentifizierung weichen, mit der das Mädchen zum Männlichkeitskomplex zurückkehrt und sich eventuell an ihm fixiert.

Ich habe nun das Wesentliche gesagt, das ich zu sagen hatte, und mache halt, um das Ergebnis zu überblicken. Wir haben Einsicht in die Vorgeschichte des Ödipus-Komplexes beim Mädchen bekommen. Das Entsprechende beim Knaben ist ziemlich unbekannt. Beim Mädchen ist der Ödipus-Komplex eine sekundäre Bildung. Die Auswirkungen des Kastrationskomplexes gehen ihm vorher und bereiten ihn vor. Für das Verhältnis zwischen Ödipus- und Kastrationskomplex stellt sich ein fundamentaler Gegensatz der beiden Geschlechter her. *Während der Ödipus-Komplex des Knaben am Kastrationskomplex zugrunde geht*[1], *wird der des Mädchens durch den Kastrationskomplex ermöglicht und eingeleitet.* Dieser Widerspruch erhält seine Aufklärung, wenn man erwägt, daß der Kastrationskomplex dabei immer im Sinne seines Inhaltes wirkt, hemmend und einschränkend für die Männlichkeit, befördernd auf die Weiblichkeit. Die Differenz in diesem Stück der Sexualentwicklung beim Mann und Weib ist eine begreifliche Folge der anatomischen Verschiedenheit der Genitalien und der damit verknüpften psychischen Situation, sie entspricht dem Unterschied von vollzogener und bloß angedrohter Kastration. Unser Ergebnis ist also im Grunde eine Selbstverständlichkeit, die man hätte vorhersehen können.

Indes der Ödipus-Komplex ist etwas so Bedeutsames, daß es auch nicht folgenlos bleiben kann, auf welche Weise man in ihn hineingeraten und von ihm losgekommen ist. Beim Knaben – so habe ich in der letzterwähnten Publikation ausgeführt, an die ich hier überhaupt anknüpfe – wird der Komplex nicht einfach verdrängt, er zerschellt förmlich unter dem Schock der Kastrationsdrohung. Seine libidinösen Besetzungen werden aufgegeben, desexualisiert und

1 Siehe: Der Untergang des Ödipus-Komplexes [oben, S. 168].

zum Teil sublimiert, seine Objekte dem Ich einverleibt, wo sie den Kern des Über-Ichs bilden und dieser Neuformation charakteristische Eigenschaften verleihen. Im normalen, besser gesagt: im idealen Falle besteht dann auch im Unbewußten kein Ödipus-Komplex mehr, das Über-Ich ist sein Erbe geworden. Da der Penis – im Sinne Ferenczis – seine außerordentlich hohe narzißtische Besetzung seiner organischen Bedeutung für die Fortsetzung der Art verdankt, kann man die Katastrophe des Ödipus-Komplexes – die Abwendung vom Inzest, die Einsetzung von Gewissen und Moral – als einen Sieg der Generation über das Individuum auffassen. Ein interessanter Gesichtspunkt, wenn man erwägt, daß die Neurose auf einem Sträuben des Ichs gegen den Anspruch der Sexualfunktion beruht. Aber das Verlassen des Standpunktes der individuellen Psychologie führt zunächst nicht zur Klärung der verschlungenen Beziehungen.

Beim Mädchen entfällt das Motiv für die Zertrümmerung des Ödipus-Komplexes. Die Kastration hat ihre Wirkung bereits früher getan, und diese bestand darin, das Kind in die Situation des Ödipus-Komplexes zu drängen. Dieser entgeht darum dem Schicksal, das ihm beim Knaben bereitet wird, er kann langsam verlassen, durch Verdrängung erledigt werden, seine Wirkungen weit in das für das Weib normale Seelenleben verschieben. Man zögert es auszusprechen, kann sich aber doch der Idee nicht erwehren, daß das Niveau des sittlich Normalen für das Weib ein anderes wird. Das Über-Ich wird niemals so unerbittlich, so unpersönlich, so unabhängig von seinen affektiven Ursprüngen, wie wir es vom Manne fordern. Charakterzüge, die die Kritik seit jeher dem Weibe vorgehalten hat, daß es weniger Rechtsgefühl zeigt als der Mann, weniger Neigung zur Unterwerfung unter die großen Notwendigkeiten des Lebens, sich öfter in seinen Entscheidungen von zärtlichen und feindseligen Gefühlen leiten läßt, fänden in der oben abgeleiteten Modifikation der Über-Ichbildung eine ausreichende Begründung. Durch den Widerspruch der Feministen, die uns eine völlige Gleichstellung und Gleichschätzung der Geschlechter aufdrängen wollen, wird man sich in solchen Urteilen nicht beirren lassen, wohl aber bereitwillig zugestehen, daß auch die Mehrzahl der Männer weit hinter dem männlichen Ideal zurückbleibt, und daß alle menschlichen Individuen infolge ihrer bisexuellen Anlage und der gekreuzten Vererbung männliche und weibliche Charaktere in sich vereinigen, so daß die reine Männlichkeit und Weiblichkeit theoretische Konstruktionen bleiben mit ungesichertem Inhalt.

Ich bin geneigt, den hier vorgebrachten Ausführungen über die psychischen Folgen des anatomischen Geschlechtsunterschieds Wert beizulegen, aber ich weiß, daß diese Schätzung nur aufrechtzuhalten ist, wenn sich die an einer Handvoll Fällen gemachten Funde allgemein bestätigen und als typisch herausstellen. Sonst bliebe es eben ein Beitrag zur Kenntnis der mannigfaltigen Wege in der Entwicklung des Sexuallebens.

In den schätzenswerten und inhaltreichen Arbeiten über den Männlichkeits- und Kastrationskomplex des Weibes von Abraham (Äußerungsformen des weiblichen Kastrationskomplexes, Int. Zschr. f. PsA., Bd. VII), Horney (Zur Genese des weiblichen Kastrationskomplexes, ebendort, Bd. IX), Helene Deutsch (Psychoanalyse der weiblichen Sexualfunktionen, Neue Arb. z. ärztl. PsA., Nr. V) findet sich vieles, was nahe an meine Darstellung rührt, nichts, was sich ganz mit ihr deckt, so daß ich diese Veröffentlichung auch in dieser Hinsicht rechtfertigen möchte.

ÜBER LIBIDINÖSE TYPEN

(1931)

ÜBER LIBIDINÖSE TYPEN

Unsere Beobachtung zeigt uns, daß die einzelnen menschlichen Personen das allgemeine Bild des Menschen in einer kaum übersehbaren Mannigfaltigkeit verwirklichen. Wenn man dem berechtigten Bedürfnis nachgibt, in dieser Menge einzelne Typen zu unterscheiden, so wird man von vorneherein die Wahl haben, nach welchen Merkmalen und von welchen Gesichtspunkten man diese Sonderung vornehmen soll. Körperliche Eigenschaften werden für diesen Zweck gewiß nicht weniger brauchbar sein als psychische; am wertvollsten werden solche Unterscheidungen sein, die ein regelmäßiges Beisammensein von körperlichen und seelischen Merkmalen versprechen.

Es ist fraglich, ob es uns bereits jetzt möglich ist, Typen von solcher Leistung herauszufinden, wie es später einmal auf einer noch unbekannten Basis gewiß gelingen wird. Beschränkt man sich auf die Bemühung, bloß psychologische Typen aufzustellen, so haben die Verhältnisse der Libido den ersten Anspruch, der Einteilung als Grundlage zu dienen. Man darf fordern, daß diese Einteilung nicht bloß aus unserem Wissen oder unseren Annahmen über die Libido abgeleitet sei, sondern daß sie sich auch in der Erfahrung leicht wiederfinden lasse und daß sie ihr Teil dazu beitrage, die Masse unserer Beobachtungen für unsere Auffassung zu klären. Es ist ohne weiteres zuzugeben, daß diese libidinösen Typen auch auf psychischem Gebiet nicht die einzig möglichen zu sein brauchen, und daß man, von anderen Eigenschaften ausgehend, vielleicht eine ganze Reihe anderer psychologischer Typen aufstellen kann. Für alle solche Typen muß gelten, daß sie nicht mit Krankheitsbildern zusammenfallen dürfen. Sie sollen im Gegenteil alle die Variationen umfassen, die nach unserer praktisch gerichteten Schätzung in die Breite des Normalen fallen. Wohl aber können sie sich in ihren extremen Ausbildungen den Krankheitsbildern annähern und solcherart die vermeintliche Kluft zwischen dem Normalen und dem Pathologischen ausfüllen helfen.

Nun lassen sich je nach der vorwiegenden Unterbringung der Libido in den Provinzen des seelischen Apparats drei libidinöse Haupttypen unterscheiden. Deren Namengebung ist nicht ganz leicht; in Anlehnung an unsere Tiefenpsychologie möchte ich sie als den *erotischen*, den *narzißtischen* und den *Zwangstypus* bezeichnen.

Der *erotische* Typus ist leicht zu charakterisieren. Die Erotiker sind Personen, deren Hauptinteresse – der relativ größte Betrag ihrer Libido – dem Liebesleben zugewendet ist. Lieben, besonders aber Geliebtwerden, ist ihnen das Wichtigste. Sie werden von der Angst vor dem Liebesverlust beherrscht und sind darum besonders abhängig von den anderen, die ihnen die Liebe versagen können. Dieser Typus ist auch in seiner reinen Form recht häufig. Variationen desselben ergeben sich je nach der Vermengung mit einem andern Typus und dem gleichzeitigen Ausmaß von Aggression. Sozial wie kulturell vertritt dieser Typus die elementaren Triebansprüche des Es, dem die andern psychischen Instanzen gefügig geworden sind.

Der zweite Typus, dem ich den zunächst befremdlichen Namen *Zwangstypus* gegeben habe, zeichnet sich durch die Vorherrschaft des Über-Ichs aus, das sich unter hoher Spannung vom Ich absondert. Er wird von der Gewissensangst beherrscht an Stelle der Angst vor dem Liebesverlust, zeigt eine sozusagen innere Abhängigkeit anstatt der äußeren, entfaltet ein hohes Maß von Selbständigkeit und wird sozial zum eigentlichen, vorwiegend konservativen Träger der Kultur.

Der dritte, mit gutem Recht *narzißtisch* geheißene Typus ist wesentlich negativ charakterisiert. Keine Spannung zwischen Ich und Über-Ich – man würde von diesem Typus her kaum zur Aufstellung eines Über-Ichs gekommen sein –, keine Übermacht der erotischen Bedürfnisse, das Hauptinteresse auf die Selbsterhaltung gerichtet, unabhängig und wenig eingeschüchtert. Dem Ich ist ein großes Maß von Aggression verfügbar, das sich auch in Bereitschaft zur Aktivität kundgibt; im Liebesleben wird das Lieben vor dem Geliebtwerden bevorzugt. Menschen dieses Typus imponieren den andern als »Persönlichkeiten«, sind besonders geeignet, anderen als Anhalt zu dienen, die Rolle von Führern zu übernehmen, der Kulturentwick-

lung neue Anregungen zu geben oder das Bestehende zu schädigen.
Diese reinen Typen werden dem Verdacht der Ableitung aus der Theorie der Libido kaum entgehen. Man fühlt sich aber auf dem sicheren Boden der Erfahrung, wenn man sich nun den gemischten Typen zuwendet, die um so viel häufiger zur Beobachtung kommen als die reinen. Diese neuen Typen, der *erotisch-zwanghafte*, der *erotisch-narzißtische* und der *narzißtische Zwangstypus*, scheinen in der Tat eine gute Unterbringung der individuellen psychischen Strukturen, wie wir sie durch die Analyse kennengelernt haben, zu gestatten. Es sind längst vertraute Charakterbilder, auf die man bei der Verfolgung dieser Mischtypen gerät. Beim *erotischen Zwangstypus* scheint die Übermacht des Trieblebens durch den Einfluß des Über-Ichs eingeschränkt; die Abhängigkeit gleichzeitig von rezenten menschlichen Objekten und von den Relikten der Eltern, Erzieher und Vorbilder erreicht bei diesem Typus den höchsten Grad. Der *erotisch-narzißtische* ist vielleicht jener, dem man die größte Häufigkeit zusprechen muß. Er vereinigt Gegensätze, die sich in ihm gegenseitig ermäßigen können; man kann an ihm im Vergleich mit den beiden anderen erotischen Typen lernen, daß Aggression und Aktivität mit der Vorherrschaft des Narzißmus zusammengehen. Der *narzißtische Zwangstypus* endlich ergibt die kulturell wertvollste Variation, indem er zur äußeren Unabhängigkeit und Beachtung der Gewissensforderung die Fähigkeit zur kraftvollen Betätigung hinzufügt und das Ich gegen das Über-Ich verstärkt.
Man könnte meinen, einen Scherz zu machen, wenn man die Frage aufwirft, warum ein anderer theoretisch möglicher Mischtypus hier keine Erwähnung findet, nämlich der *erotisch-zwanghaft-narzißtische*. Aber die Antwort auf diesen Scherz ist ernsthaft: weil ein solcher Typus kein Typus mehr wäre, sondern die absolute Norm, die ideale Harmonie bedeuten würde. Man wird dabei inne, daß das Phänomen des Typus eben dadurch entsteht, daß von den drei Hauptverwendungen der Libido im seelischen Haushalt eine oder zwei auf Kosten der anderen begünstigt worden sind.
Man kann sich auch die Frage vorlegen, welches das Verhältnis dieser libidinösen Typen zur Pathologie ist, ob einige von ihnen zum Übergang in die Neurose besonders disponiert sind, und dann, wel-

che Typen zu welchen Formen führen. Die Antwort wird lauten, daß die Aufstellung dieser libidinösen Typen kein neues Licht auf die Genese der Neurosen wirft. Nach dem Zeugnis der Erfahrung sind alle diese Typen ohne Neurose lebensfähig. Die reinen Typen mit dem unbestrittenen Übergewicht einer einzelnen seelischen Instanz scheinen die größere Aussicht zu haben, als reine Charakterbilder aufzutreten, während man von den gemischten Typen erwarten könnte, daß sie für die Bedingung der Neurose einen günstigeren Boden bieten. Doch meine ich, man sollte über diese Verhältnisse nicht ohne besonders gerichtete, sorgfältige Nachprüfung entscheiden.

Daß die erotischen Typen im Falle der Erkrankung Hysterie ergeben, wie die Zwangstypen Zwangsneurose, scheint ja leicht zu erraten, ist aber auch an der zuletzt betonten Unsicherheit beteiligt. Die narzißtischen Typen, die bei ihrer sonstigen Unabhängigkeit der Versagung von seiten der Außenwelt ausgesetzt sind, enthalten eine besondere Disposition zur Psychose, wie sie auch wesentliche Bedingungen des Verbrechertums beistellen.

Die ätiologischen Bedingungen der Neurose sind bekanntlich noch nicht sicher erkannt. Die Veranlassungen der Neurose sind Versagungen und innere Konflikte, Konflikte zwischen den drei großen psychischen Instanzen, Konflikte innerhalb des Libidohaushalts infolge der bisexuellen Anlage, zwischen den erotischen und aggressiven Triebkomponenten. Was diese dem normalen psychischen Ablauf zugehörigen Vorgänge pathogen macht, bemüht sich die Neurosenpsychologie zu ergründen.

ÜBER DIE WEIBLICHE SEXUALITÄT

(1931)

ÜBER DIE WEIBLICHE SEXUALITÄT

I

In der Phase des normalen Ödipuskomplexes finden wir das Kind an den gegengeschlechtlichen Elternteil zärtlich gebunden, während im Verhältnis zum gleichgeschlechtlichen die Feindseligkeit vorwiegt. Es macht uns keine Schwierigkeiten, dieses Ergebnis für den Knaben abzuleiten. Die Mutter war sein erstes Liebesobjekt; sie bleibt es, mit der Verstärkung seiner verliebten Strebungen und der tieferen Einsicht in die Beziehung zwischen Vater und Mutter muß der Vater zum Rivalen werden. Anders für das kleine Mädchen. Ihr erstes Objekt war doch auch die Mutter; wie findet sie den Weg zum Vater? Wie, wann und warum macht sie sich von der Mutter los? Wir haben längst verstanden, die Entwicklung der weiblichen Sexualität werde durch die Aufgabe kompliziert, die ursprünglich leitende genitale Zone, die Klitoris, gegen eine neue, die Vagina, aufzugeben. Nun erscheint uns eine zweite solche Wandlung, der Umtausch des ursprünglichen Mutterobjekts gegen den Vater, nicht weniger charakteristisch und bedeutungsvoll für die Entwicklung des Weibes. In welcher Art die beiden Aufgaben miteinander verknüpft sind, können wir noch nicht erkennen.
Frauen mit starker Vaterbindung sind bekanntlich sehr häufig; sie brauchen auch keineswegs neurotisch zu sein. An solchen Frauen habe ich die Beobachtungen gemacht, über die ich hier berichte und die mich zu einer gewissen Auffassung der weiblichen Sexualität veranlaßt haben. Zwei Tatsachen sind mir da vor allem aufgefallen. Die erste war: wo eine besonders intensive Vaterbindung bestand, da hatte es nach dem Zeugnis der Analyse vorher eine Phase von ausschließlicher Mutterbindung gegeben von gleicher Intensität und Leidenschaftlichkeit. Die zweite Phase hatte bis auf den Wechsel des Objekts dem Liebesleben kaum einen neuen Zug hinzugefügt. Die primäre Mutterbeziehung war sehr reich und vielseitig ausgebaut gewesen.

Die zweite Tatsache lehrte, daß man auch die Zeitdauer dieser Mutterbindung stark unterschätzt hatte. Sie reichte in mehreren Fällen bis weit ins vierte, in einem bis ins fünfte Jahr, nahm also den bei weitem längeren Anteil der sexuellen Frühblüte ein. Ja, man mußte die Möglichkeit gelten lassen, daß eine Anzahl von weiblichen Wesen in der ursprünglichen Mutterbindung steckenbleibt und es niemals zu einer richtigen Wendung zum Manne bringt.

Die präödipale Phase des Weibes rückt hiemit zu einer Bedeutung auf, die wir ihr bisher nicht zugeschrieben haben.

Da sie für alle Fixierungen und Verdrängungen Raum hat, auf die wir die Entstehung der Neurosen zurückführen, scheint es erforderlich, die Allgemeinheit des Satzes, der Ödipuskomplex sei der Kern der Neurose, zurückzunehmen. Aber wer ein Sträuben gegen diese Korrektur verspürt, ist nicht genötigt, sie zu machen. Einerseits kann man dem Ödipuskomplex den weiteren Inhalt geben, daß er alle Beziehungen des Kindes zu beiden Eltern umfaßt, anderseits kann man den neuen Erfahrungen auch Rechnung tragen, indem man sagt, das Weib gelange zur normalen positiven Ödipussituation erst, nachdem es eine vom negativen Komplex beherrschte Vorzeit überwunden. Wirklich ist während dieser Phase der Vater für das Mädchen nicht viel anderes als ein lästiger Rivale, wenngleich die Feindseligkeit gegen ihn nie die für den Knaben charakteristische Höhe erreicht. Alle Erwartungen eines glatten Parallelismus zwischen männlicher und weiblicher Sexualentwicklung haben wir ja längst aufgegeben.

Die Einsicht in die präödipale Vorzeit des Mädchens wirkt als Überraschung, ähnlich wie auf anderem Gebiet die Aufdeckung der minoisch-mykenischen Kultur hinter der griechischen.

Alles auf dem Gebiet dieser ersten Mutterbindung erschien mir so schwer analytisch zu erfassen, so altersgrau, schattenhaft, kaum wiederbelebbar, als ob es einer besonders unerbittlichen Verdrängung erlegen wäre. Vielleicht kam dieser Eindruck aber davon, daß die Frauen in der Analyse bei mir an der nämlichen Vaterbindung festhalten konnten, zu der sie sich aus der in Rede stehenden Vorzeit geflüchtet hatten. Es scheint wirklich, daß weibliche Analytiker, wie Jeanne Lampl-de Groot und Helene Deutsch, diese Tatbestände leichter und deutlicher wahrnehmen konnten, weil ihnen bei ihren

Gewährspersonen die Übertragung auf einen geeigneten Mutterersatz zu Hilfe kam. Ich habe es auch nicht dahin gebracht, einen Fall vollkommen zu durchschauen, beschränke mich daher auf die Mitteilung der allgemeinsten Ergebnisse und führe nur wenige Proben aus meinen neuen Einsichten an. Dahin gehört, daß diese Phase der Mutterbindung eine besonders intime Beziehung zur Ätiologie der Hysterie vermuten läßt, was nicht überraschen kann, wenn man erwägt, daß beide, die Phase wie die Neurose, zu den besonderen Charakteren der Weiblichkeit gehören, ferner auch, daß man in dieser Mutterabhängigkeit den Keim der späteren Paranoia des Weibes findet.[1] Denn dies scheint die überraschende, aber regelmäßig angetroffene Angst, von der Mutter umgebracht (aufgefressen?) zu werden, wohl zu sein. Es liegt nahe anzunehmen, daß diese Angst einer Feindseligkeit entspricht, die sich im Kind gegen die Mutter infolge der vielfachen Einschränkungen der Erziehung und Körperpflege entwickelt, und daß der Mechanismus der Projektion durch die Frühzeit der psychischen Organisation begünstigt wird.

II

Ich habe die beiden Tatsachen vorangestellt, die mir als neu aufgefallen sind, daß die starke Vaterabhängigkeit des Weibes nur das Erbe einer ebenso starken Mutterbindung antritt und daß diese frühere Phase durch eine unerwartet lange Zeitdauer angehalten hat. Nun will ich zurückgreifen, um diese Ergebnisse in das uns bekanntgewordene Bild der weiblichen Sexualentwicklung einzureihen, wobei Wiederholungen nicht zu vermeiden sein werden. Die fortlaufende Vergleichung mit den Verhältnissen beim Manne kann unserer Darstellung nur förderlich sein.

Zunächst ist es unverkennbar, daß die für die menschliche Anlage behauptete Bisexualität beim Weib viel deutlicher hervortritt als

1 In dem bekannten Fall von Ruth Mack Brunswick (Die Analyse eines Eifersuchtswahnes, Int. Zeitschr. f. PsA., XIV, 1928) geht die Affektion direkt aus der präödipalen (Schwester-)Fixierung hervor.

beim Mann. Der Mann hat doch nur eine leitende Geschlechtszone, ein Geschlechtsorgan, während das Weib deren zwei besitzt: die eigentlich weibliche Vagina und die dem männlichen Glied analoge Klitoris. Wir halten uns für berechtigt anzunehmen, daß die Vagina durch lange Jahre so gut wie nicht vorhanden ist, vielleicht erst zur Zeit der Pubertät Empfindungen liefert. In letzter Zeit mehren sich allerdings die Stimmen der Beobachter, die vaginale Regungen auch in diese frühen Jahre verlegen. Das Wesentliche, was also an Genitalität in der Kindheit vorgeht, muß sich beim Weibe an der Klitoris abspielen. Das Geschlechtsleben des Weibes zerfällt regelmäßig in zwei Phasen, von denen die erste männlichen Charakter hat; erst die zweite ist die spezifisch weibliche. In der weiblichen Entwicklung gibt es so einen Prozeß der Überführung der einen Phase in die andere, dem beim Manne nichts analog ist. Eine weitere Komplikation entsteht daraus, daß sich die Funktion der virilen Klitoris in das spätere weibliche Geschlechtsleben fortsetzt in einer sehr wechselnden und gewiß nicht befriedigend verstandenen Weise. Natürlich wissen wir nicht, wie sich diese Besonderheiten des Weibes biologisch begründen; noch weniger können wir ihnen teleologische Absicht unterlegen.

Parallel dieser ersten großen Differenz läuft die andere auf dem Gebiet der Objektfindung. Beim Manne wird die Mutter zum ersten Liebesobjekt infolge des Einflusses von Nahrungszufuhr und Körperpflege, und sie bleibt es, bis sie durch ein ihr wesensähnliches oder von ihr abgeleitetes ersetzt wird. Auch beim Weib muß die Mutter das erste Objekt sein. Die Urbedingungen der Objektwahl sind ja für alle Kinder gleich. Aber am Ende der Entwicklung soll der Mann-Vater das neue Liebesobjekt geworden sein, d. h., dem Geschlechtswechsel des Weibes muß ein Wechsel im Geschlecht des Objekts entsprechen. Als neue Aufgaben der Forschung entstehen hier die Fragen, auf welchen Wegen diese Wandlung vor sich geht, wie gründlich oder unvollkommen sie vollzogen wird, welche verschiedenen Möglichkeiten sich bei dieser Entwicklung ergeben.

Wir haben auch bereits erkannt, daß eine weitere Differenz der Geschlechter sich auf das Verhältnis zum Ödipuskomplex bezieht. Unser Eindruck ist hier, daß unsere Aussagen über den Ödipuskomplex in voller Strenge nur für das männliche Kind passen und

daß wir recht daran haben, den Namen Elektrakomplex abzulehnen, der die Analogie im Verhalten beider Geschlechter betonen will. Die schicksalhafte Beziehung von gleichzeitiger Liebe zu dem einen und Rivalitätshaß gegen den anderen Elternteil stellt sich nur für das männliche Kind her. Bei diesem ist es dann die Entdeckung der Kastrationsmöglichkeit, wie sie durch den Anblick des weiblichen Genitales erwiesen wird, die die Umbildung des Ödipuskomplexes erzwingt, die Schaffung des Über-Ichs herbeiführt und so all die Vorgänge einleitet, die auf die Einreihung des Einzelwesens in die Kulturgemeinschaft abzielen. Nach der Verinnerlichung der Vaterinstanz zum Über-Ich ist die weitere Aufgabe zu lösen, dies letztere von den Personen abzulösen, die es ursprünglich seelisch vertreten hat. Auf diesem merkwürdigen Entwicklungsweg ist gerade das narzißtische Genitalinteresse, das an der Erhaltung des Penis, zur Einschränkung der infantilen Sexualität gewendet worden.
Beim Manne erübrigt vom Einfluß des Kastrationskomplexes auch ein Maß von Geringschätzung für das als kastriert erkannte Weib. Aus dieser entwickelt sich im Extrem eine Hemmung der Objektwahl und bei Unterstützung durch organische Faktoren ausschließliche Homosexualität. Ganz andere sind die Wirkungen des Kastrationskomplexes beim Weib. Das Weib anerkennt die Tatsache seiner Kastration und damit auch die Überlegenheit des Mannes und seine eigene Minderwertigkeit, aber es sträubt sich auch gegen diesen unliebsamen Sachverhalt. Aus dieser zwiespältigen Einstellung leiten sich drei Entwicklungsrichtungen ab. Die erste führt zur allgemeinen Abwendung von der Sexualität. Das kleine Weib, durch den Vergleich mit dem Knaben geschreckt, wird mit seiner Klitoris unzufrieden, verzichtet auf seine phallische Betätigung und damit auf die Sexualität überhaupt wie auf ein gutes Stück seiner Männlichkeit auf anderen Gebieten. Die zweite Richtung hält in trotziger Selbstbehauptung an der bedrohten Männlichkeit fest; die Hoffnung, noch einmal einen Penis zu bekommen, bleibt bis in unglaublich späte Zeiten aufrecht, wird zum Lebenszweck erhoben, und die Phantasie, trotz alledem ein Mann zu sein, bleibt oft gestaltend für lange Lebensperioden. Auch dieser »Männlichkeitskomplex« des Weibes kann in manifest homosexuelle Objektwahl ausgehen. Erst eine dritte, recht umwegige Entwicklung mündet in die normal

weibliche Endgestaltung aus, die den Vater als Objekt nimmt und so die weibliche Form des Ödipuskomplexes findet. Der Ödipuskomplex ist also beim Weib das Endergebnis einer längeren Entwicklung, er wird durch den Einfluß der Kastration nicht zerstört, sondern durch ihn geschaffen, er entgeht den starken feindlichen Einflüssen, die beim Mann zerstörend auf ihn einwirken, ja er wird allzuhäufig vom Weib überhaupt nicht überwunden. Darum sind auch die kulturellen Ergebnisse seines Zerfalls geringfügiger und weniger belangreich. Man geht wahrscheinlich nicht fehl, wenn man aussagt, daß dieser Unterschied in der gegenseitigen Beziehung von Ödipus- und Kastrationskomplex den Charakter des Weibes als soziales Wesen prägt.[1]

Die Phase der ausschließlichen Mutterbindung, die *präödipal* genannt werden kann, beansprucht also beim Weib eine weitaus größere Bedeutung, als ihr beim Mann zukommen kann. Viele Erscheinungen des weiblichen Sexuallebens, die früher dem Verständnis nicht recht zugänglich waren, finden in der Zurückführung auf sie ihre volle Aufklärung. Wir haben z. B. längst bemerkt, daß viele Frauen, die ihren Mann nach dem Vatervorbild gewählt oder ihn an die Vaterstelle gesetzt haben, doch in der Ehe an ihm ihr schlechtes Verhältnis zur Mutter wiederholen. Er sollte die Vaterbeziehung erben, und in Wirklichkeit erbt er die Mutterbeziehung. Das versteht man leicht als einen naheliegenden Fall von Regression. Die Mutterbeziehung war die ursprüngliche, auf sie war die Vaterbindung aufgebaut, und nun kommt in der Ehe das Ursprüngliche aus

1 Man kann vorhersehen, daß die Feministen unter den Männern, aber auch unsere weiblichen Analytiker mit diesen Ausführungen nicht einverstanden sein werden. Sie dürften kaum die Einwendung zurückhalten, solche Lehren stammen aus dem »Männlichkeitskomplex« des Mannes und sollen dazu dienen, seiner angeborenen Neigung zur Herabsetzung und Unterdrückung des Weibes eine theoretische Rechtfertigung zu schaffen. Allein eine solche psychoanalytische Argumentation mahnt in diesem Falle, wie so häufig, an den berühmten »Stock mit zwei Enden« Dostojewskis. Die Gegner werden es ihrerseits begreiflich finden, daß das Geschlecht der Frauen nicht annehmen will, was der heiß begehrten Gleichstellung mit dem Manne zu widersprechen scheint. Die agonale Verwendung der Analyse führt offensichtlich nicht zur Entscheidung.

der Verdrängung zum Vorschein. Die Überschreibung affektiver Bindungen vom Mutter- auf das Vaterobjekt bildete ja den Hauptinhalt der zum Weibtum führenden Entwicklung.

Wenn wir bei so vielen Frauen den Eindruck bekommen, daß ihre Reifezeit vom Kampf mit dem Ehemann ausgefüllt wird, wie ihre Jugend im Kampf mit der Mutter verbracht wurde, so werden wir im Licht der vorstehenden Bemerkungen den Schluß ziehen, daß deren feindselige Einstellung zur Mutter nicht eine Folge der Rivalität des Ödipuskomplexes ist, sondern aus der Phase vorher stammt und in der Ödipussituation nur Verstärkung und Verwendung erfahren hat. So wird es auch durch direkte analytische Untersuchung bestätigt. Unser Interesse muß sich den Mechanismen zuwenden, die bei der Abwendung von dem so intensiv und ausschließlich geliebten Mutterobjekt wirksam geworden sind. Wir sind darauf vorbereitet, nicht ein einziges solches Moment, sondern eine ganze Reihe von solchen Momenten zu finden, die zum gleichen Endziel zusammenwirken.

Unter ihnen treten einige hervor, die durch die Verhältnisse der infantilen Sexualität überhaupt bedingt sind, also in gleicher Weise für das Liebesleben des Knaben gelten. In erster Linie ist hier die Eifersucht auf andere Personen zu nennen, auf Geschwister, Rivalen, neben denen auch der Vater Platz findet. Die kindliche Liebe ist maßlos, verlangt Ausschließlichkeit, gibt sich nicht mit Anteilen zufrieden. Ein zweiter Charakter ist aber, daß diese Liebe auch eigentlich ziellos, einer vollen Befriedigung unfähig ist, und wesentlich darum ist sie dazu verurteilt, in Enttäuschung auszugehen und einer feindlichen Einstellung Platz zu machen. In späteren Lebenszeiten kann das Ausbleiben einer Endbefriedigung einen anderen Ausgang begünstigen. Dies Moment mag wie bei den zielgehemmten Liebesbeziehungen die ungestörte Fortdauer der Libidobesetzung versichern, aber im Drang der Entwicklungsvorgänge ereignet es sich regelmäßig, daß die Libido die unbefriedigende Position verläßt, um eine neue aufzusuchen.

Ein anderes weit mehr spezifisches Motiv zur Abwendung von der Mutter ergibt sich aus der Wirkung des Kastrationskomplexes auf das penislose Geschöpf. Irgendeinmal macht das kleine Mädchen die Entdeckung seiner organischen Minderwertigkeit, natürlich früher und leichter, wenn es Brüder hat oder andere Knaben in der Nähe sind. Wir haben schon gehört, welche drei Richtungen sich dann voneinander scheiden: a) die zur Einstellung des ganzen Sexuallebens; b) die zur trotzigen Überbetonung der Männlichkeit; c) die Ansätze zur endgültigen Weiblichkeit. Genauere Zeitangaben zu machen und typische Verlaufsweisen festzulegen ist hier nicht leicht. Schon der Zeitpunkt der Entdeckung der Kastration ist wechselnd, manche andere Momente scheinen inkonstant und vom Zufall abhängig. Der Zustand der eigenen phallischen Betätigung kommt in Betracht, ebenso ob diese entdeckt wird oder nicht und welches Maß von Verhinderung nach der Entdeckung erlebt wird.

Die eigene phallische Betätigung, Masturbation an der Klitoris, wird vom kleinen Mädchen meist spontan gefunden, ist gewiß zunächst phantasielos. Dem Einfluß der Körperpflege an ihrer Erwekkung wird durch die so häufige Phantasie Rechnung getragen, die Mutter, Amme oder Kinderfrau zur Verführerin macht. Ob die Onanie der Mädchen seltener und von Anfang an weniger energisch ist als die der Knaben, bleibt dahingestellt; es wäre wohl möglich. Auch wirkliche Verführung ist häufig genug, sie geht entweder von anderen Kindern oder von Pflegepersonen aus, die das Kind beschwichtigen, einschläfern oder von sich abhängig machen wollen. Wo Verführung einwirkt, stört sie regelmäßig den natürlichen Ablauf der Entwicklungsvorgänge; oft hinterläßt sie weitgehende und andauernde Konsequenzen.

Das Verbot der Masturbation wird, wie wir gehört haben, zum Anlaß, sie aufzugeben, aber auch zum Motiv der Auflehnung gegen die verbietende Person, also die Mutter oder den Muttererersatz, der später regelmäßig mit ihr verschmilzt. Die trotzige Behauptung der Masturbation scheint den Weg zur Männlichkeit zu eröffnen. Auch wo es dem Kind nicht gelungen ist, die Masturbation zu unterdrükken, zeigt sich die Wirkung des anscheinend machtlosen Verbots in seinem späteren Bestreben, sich mit allen Opfern von der ihm verleideten Befriedigung frei zu machen. Noch die Objektwahl des reifen Mädchens kann von dieser festgehaltenen Absicht beeinflußt werden. Der Groll wegen der Behinderung in der freien sexuellen Betätigung spielt eine große Rolle in der Ablösung von der Mutter. Dasselbe Motiv wird auch nach der Pubertät wieder zur Wirkung kommen, wenn die Mutter ihre Pflicht erkennt, die Keuschheit der Tochter zu behüten. Wir werden natürlich nicht daran vergessen, daß die Mutter der Masturbation des Knaben in gleicher Weise entgegentritt und somit auch ihm ein starkes Motiv zur Auflehnung schafft.

Wenn das kleine Mädchen durch den Anblick eines männlichen Genitales seinen eigenen Defekt erfährt, nimmt sie die unerwünschte Belehrung nicht ohne Zögern und ohne Sträuben an. Wie wir gehört haben, wird die Erwartung, auch einmal ein solches Genitale zu bekommen, hartnäckig festgehalten, und der Wunsch danach überlebt die Hoffnung noch um lange Zeit. In allen Fällen hält das Kind die Kastration zunächst nur für ein individuelles Mißgeschick, erst später dehnt es dieselbe auch auf einzelne Kinder, endlich auf einzelne Erwachsene aus. Mit der Einsicht in die Allgemeinheit dieses negativen Charakters stellt sich eine große Entwertung der Weiblichkeit, also auch der Mutter, her.

Es ist sehr wohl möglich, daß die vorstehende Schilderung, wie sich das kleine Mädchen gegen den Eindruck der Kastration und das Verbot der Onanie verhält, dem Leser einen verworrenen und widerspruchsvollen Eindruck macht. Das ist nicht ganz die Schuld des Autors. In Wirklichkeit ist eine allgemein zutreffende Darstellung kaum möglich. Bei verschiedenen Individuen findet man die verschiedensten Reaktionen, bei demselben Individuum bestehen die entgegengesetzten Einstellungen nebeneinander. Mit dem ersten Eingreifen des Verbots ist der Konflikt da, der von nun an die Entwicklung der Sexualfunktion begleiten wird. Es bedeutet auch eine besondere Erschwerung der Einsicht, daß man so große Mühe hat, die seelischen Vorgänge dieser ersten Phase von späteren zu unterscheiden, durch die sie überdeckt und für die Erinnerung entstellt werden. So wird z. B. später einmal die Tatsache der Kastration als Strafe für die onanistische Betätigung aufgefaßt, deren Ausführung aber dem Vater zugeschoben, was beides gewiß nicht ursprünglich sein kann. Auch der Knabe befürchtet die Kastration regelmäßig von seiten des Vaters, obwohl auch bei ihm die Drohung zumeist von der Mutter ausgeht.

Wie dem auch sein mag, am Ende dieser ersten Phase der Mutterbindung taucht als das stärkste Motiv zur Abwendung von der Mutter der Vorwurf auf, daß sie dem Kind kein richtiges Genitale mitgegeben, d. h. es als Weib geboren hat. Nicht ohne Überraschung vernimmt man einen anderen Vorwurf, der etwas weniger weit zurückgreift: die Mutter hat dem Kind zu wenig Milch gegeben, es nicht lange genug genährt. Das mag in unseren kulturellen Verhältnissen recht oft zutreffen, aber gewiß nicht so oft, als es in der Analyse behauptet wird. Es scheint vielmehr, als sei diese Anklage ein Ausdruck der allgemeinen Unzufriedenheit der Kinder, die unter den kulturellen Bedingungen der Monogamie nach sechs bis neun Monaten der Mutterbrust entwöhnt werden, während die primitive Mutter sich zwei bis drei Jahre lang ausschließlich ihrem Kinde widmet, als wären unsere Kinder für immer ungesättigt geblieben, als hätten sie nie lang genug an der Mutterbrust gesogen. Ich bin aber nicht sicher, ob man nicht bei der Analyse von Kindern, die solange gesäugt worden sind wie die Kinder der Primitiven, auf dieselbe Klage stoßen würde. So groß ist die Gier der kindlichen Libido! Überblickt man die ganze Reihe der Motivierungen, welche die Analyse für die Abwendung von der Mutter aufdeckt, daß sie es unterlassen hat, das Mädchen mit dem einzig richtigen Genitale auszustatten, daß sie es ungenügend ernährt hat, es gezwungen hat, die Mutterliebe mit anderen zu teilen, daß sie nie alle Liebeserwartungen erfüllt, und endlich, daß sie die eigene Sexualbetätigung zuerst angeregt und dann verboten hat, so scheinen sie alle zur Rechtfertigung der endlichen Feindseligkeit unzureichend. Die einen von ihnen sind unvermeidliche Abfolgen aus der Natur der infantilen Sexualität, die anderen nehmen sich aus wie später zurechtgemachte Rationalisierungen der unverstandenen Gefühlswandlung. Vielleicht geht es eher so zu, daß die Mutterbindung zugrunde gehen muß, gerade darum, weil sie die erste und so intensiv ist, ähnlich wie man es so oft an den ersten, in stärkster Verliebtheit geschlossenen Ehen der jungen Frauen beobachten kann. Hier wie dort würde die Liebeseinstellung an den unausweichlichen Enttäuschungen und an der Anhäufung der Anlässe zur Aggression scheitern. Zweite Ehen gehen in der Regel weit besser aus.

Wir können nicht so weit gehen zu behaupten, daß die Ambivalenz der Gefühlsbesetzungen ein allgemeingültiges psychologisches Gesetz ist, daß es überhaupt unmöglich ist, große Liebe für eine Person zu empfinden, ohne daß sich ein vielleicht ebenso großer Haß hinzugesellt oder umgekehrt. Dem Normalen und Erwachsenen gelingt es ohne Zweifel, beide Einstellungen voneinander zu sondern, sein Liebesobjekt nicht zu hassen und seinen Feind nicht auch lieben zu müssen. Aber das scheint das Ergebnis späterer Entwicklungen. In den ersten Phasen des Liebeslebens ist offenbar die Ambivalenz das Regelrechte. Bei vielen Menschen bleibt dieser archaische Zug über das ganze Leben erhalten, für die Zwangsneurotiker ist es charakteristisch, daß in ihren Objektbeziehungen Liebe und Haß einander die Waage halten. Auch für die Primitiven dürfen wir das Vorwiegen der Ambivalenz behaupten. Die intensive Bindung des kleinen Mädchens an seine Mutter müßte also eine stark ambivalente sein und unter der Mithilfe der anderen Momente gerade durch diese Ambivalenz zur Abwendung von ihr gedrängt werden, also wiederum infolge eines allgemeinen Charakters der infantilen Sexualität.

Gegen diesen Erklärungsversuch erhebt sich sofort die Frage: Wie wird es aber den Knaben möglich, ihre gewiß nicht weniger intensive Mutterbindung unangefochten festzuhalten? Ebenso rasch ist die Antwort bereit: Weil es ihnen ermöglicht ist, ihre Ambivalenz gegen die Mutter zu erledigen, indem sie all ihre feindseligen Gefühle beim Vater unterbringen. Aber erstens soll man diese Antwort nicht geben, ehe man die präödipale Phase der Knaben eingehend studiert hat, und zweitens ist es wahrscheinlich überhaupt vorsichtiger, sich einzugestehen, daß man diese Vorgänge, die man eben kennengelernt hat, noch gar nicht gut durchschaut.

III

Eine weitere Frage lautet: Was verlangt das kleine Mädchen von der Mutter? Welcher Art sind seine Sexualziele in jener Zeit der ausschließlichen Mutterbindung? Die Antwort, die man aus dem analytischen Material entnimmt, stimmt ganz mit unseren Erwartungen überein. Die Sexualziele des Mädchens bei der Mutter sind aktiver wie passiver Natur, und sie werden durch die Libidophasen bestimmt, die das Kind durchläuft. Das Verhältnis der Aktivität zur Passivität verdient hier unser besonderes Interesse. Es ist leicht zu beobachten, daß auf jedem Gebiet des seelischen Erlebens, nicht nur auf dem der Sexualität, ein passiv empfangener Eindruck beim Kind die Tendenz zu einer aktiven Reaktion hervorruft. Es versucht, das selbst zu machen, was vorhin an oder mit ihm gemacht worden ist. Es ist das ein Stück der Bewältigungsarbeit an der Außenwelt, die ihm auferlegt ist, und kann selbst dazu führen, daß es sich um die Wiederholung solcher Eindrücke bemüht, die es wegen ihres peinlichen Inhalts zu vermeiden Anlaß hätte. Auch das Kinderspiel wird in den Dienst dieser Absicht gestellt, ein passives Erlebnis durch eine aktive Handlung zu ergänzen und es gleichsam auf diese Art aufzuheben. Wenn der Doktor dem sich sträubenden Kind den Mund geöffnet hat, um ihm in den Hals zu schauen, so wird nach seinem Fortgehen das Kind den Doktor spielen und die gewalttätige Prozedur an einem kleinen Geschwisterchen wiederholen, das ebenso hilflos gegen es ist, wie es selbst gegen den Doktor war. Eine Auflehnung gegen die Passivität und eine Bevorzugung der aktiven Rolle ist dabei unverkennbar. Nicht bei allen Kindern wird diese Schwenkung von der Passivität zur Aktivität gleich regelmäßig und energisch ausfallen, bei manchen mag sie ausbleiben. Aus diesem Verhalten des Kindes mag man einen Schluß auf die relative Stärke der Männlichkeit und Weiblichkeit ziehen, die das Kind in seiner Sexualität an den Tag legen wird.

Die ersten sexuellen und sexuell mitbetonten Erlebnisse des Kindes bei der Mutter sind natürlich passiver Natur. Es wird von ihr gesäugt, gefüttert, gereinigt, gekleidet und zu allen Verrichtungen angewiesen. Ein Teil der Libido des Kindes bleibt an diesen Erfahrungen haften und genießt die mit ihnen verbundenen Befriedigungen, ein anderer Teil versucht sich an ihrer Umwendung zur Aktivität. An der Mutterbrust wird zuerst das Gesäugtwerden durch das aktive Saugen abgelöst. In den anderen Beziehungen begnügt sich das Kind entweder mit der Selbständigkeit, d. h. mit dem Erfolg, daß es selbst ausführt, was bisher mit ihm geschehen ist, oder mit aktiver Wiederholung seiner passiven Erlebnisse im Spiel, oder es macht wirklich die Mutter zum Objekt, gegen das es als tätiges Subjekt auftritt. Das letztere, was auf dem Gebiet der eigentlichen Betätigung vor sich geht, erschien mir lange Zeit hindurch unglaublich, bis die Erfahrung jeden Zweifel daran widerlegte.

Man hört selten davon, daß das kleine Mädchen die Mutter waschen, ankleiden oder zur Verrichtung ihrer exkrementellen Bedürfnisse mahnen will. Es sagt zwar gelegentlich: jetzt wollen wir spielen, daß ich die Mutter bin und du das Kind – aber zumeist erfüllt es sich diese aktiven Wünsche in indirekter Weise im Spiel mit der Puppe, in dem es selbst die Mutter darstellt wie die Puppe das Kind. Die Bevorzugung des Spiels mit der Puppe beim Mädchen im Gegensatz zum Knaben wird gewöhnlich als Zeichen der früh erwachten Weiblichkeit aufgefaßt. Nicht mit Unrecht, allein man soll nicht übersehen, daß es die Aktivität der Weiblichkeit ist, die sich hier äußert, und daß diese Vorliebe des Mädchens wahrscheinlich die Ausschließlichkeit der Bindung an die Mutter bei voller Vernachlässigung des Vaterobjekts bezeugt.

Die so überraschende sexuelle Aktivität des Mädchens gegen die Mutter äußert sich der Zeitfolge nach in oralen, sadistischen und endlich selbst phallischen, auf die Mutter gerichteten Strebungen. Die Einzelheiten sind hier schwer zu berichten, denn es handelt sich häufig um dunkle Triebregungen, die das Kind nicht psychisch erfassen konnte zur Zeit, da sie vorfielen, die darum erst eine nachträgliche Interpretation erfahren haben und dann in der Analyse in Ausdrucksweisen auftreten, die ihnen ursprünglich gewiß nicht zukamen. Mitunter begegnen sie uns als Übertragungen auf das spätere Vaterobjekt, wo sie nicht hingehören und das Verständnis empfindlich stören. Die aggressiven oralen und sadistischen Wünsche findet man in der Form, in welche sie durch frühzeitige Verdrängung genötigt werden, als Angst, von der Mutter umgebracht zu werden, die ihrerseits den Todeswunsch gegen die Mutter, wenn er bewußt wird, rechtfertigt. Wie oft diese Angst vor der Mutter sich an eine unbewußte Feindseligkeit der Mutter anlehnt, die das Kind errät, läßt sich nicht angeben. (Die Angst, gefressen zu werden, habe ich bisher nur bei Männern gefunden, sie wird auf den Vater bezogen, ist aber wahrscheinlich das Verwandlungsprodukt der auf die Mutter gerichteten oralen Aggression. Man will die Mutter auffressen, von der man sich genährt hat; beim Vater fehlt für diesen Wunsch der nächste Anlaß.)

Die weiblichen Personen mit starker Mutterbindung, an denen ich die präödipale Phase studieren konnte, haben übereinstimmend berichtet, daß sie den Klystieren und Darmeingießungen, die die Mutter bei ihnen vornahm, größten Widerstand entgegenzusetzen und mit Angst und Wutgeschrei darauf zu reagieren pflegten. Dies kann wohl ein sehr häufiges oder selbst regelmäßiges Verhalten der Kinder sein. Die Einsicht in die Begründung dieses besonders heftigen Sträubens gewann ich erst durch eine Bemerkung von Ruth Mack Brunswick, die sich gleichzeitig mit den nämlichen Problemen beschäftigte, sie möchte den Wutausbruch nach dem Klysma dem Orgasmus nach genitaler Reizung vergleichen. Die Angst dabei wäre als Umsetzung der regegemachten Aggressionslust zu verstehen. Ich meine, daß es wirklich so ist und daß auf der sadistisch-analen Stufe die intensive passive Reizung der Darmzone durch einen Ausbruch von Aggressionslust beantwortet wird, die sich direkt als Wut oder infolge ihrer Unterdrückung als Angst kundgibt. Diese Reaktion scheint in späteren Jahren zu versiegen.

Unter den passiven Regungen der phallischen Phase hebt sich hervor, daß das Mädchen regelmäßig die Mutter als Verführerin beschuldigt, weil sie die ersten oder doch die stärksten genitalen Empfindungen bei den Vornahmen der Reinigung und Körperpflege durch die Mutter (oder die sie vertretende Pflegeperson) verspüren mußte. Daß das Kind diese Empfindungen gerne mag und die Mutter auffordert, sie durch wiederholte Berührung und Reibung zu verstärken, ist mir oft von Müttern als Beobachtung an ihren zwei- bis dreijährigen Töchtern mitgeteilt worden. Ich mache die Tatsache, daß die Mutter dem Kind so unvermeidlich die phallische Phase eröffnet, dafür verantwortlich, daß in den Phantasien späterer Jahre so regelmäßig der Vater als der sexuelle Verführer erscheint. Mit der Abwendung von der Mutter ist auch die Einführung ins Geschlechtsleben auf den Vater überschrieben worden.

In der phallischen Phase kommen endlich auch intensive aktive Wunschregungen gegen die Mutter zustande. Die Sexualbetätigung dieser Zeit gipfelt in der Masturbation an der Klitoris, dabei wird wahrscheinlich die Mutter vorgestellt, aber ob es das Kind zur Vorstellung eines Sexualziels bringt und welches dies Ziel ist, ist aus meiner Erfahrung nicht zu erraten. Erst wenn alle Interessen des Kindes durch die Ankunft eines Geschwisterchens einen neuen Antrieb erhalten haben, läßt sich ein solches Ziel klar erkennen. Das kleine Mädchen will der Mutter dies neue Kind gemacht haben, ganz so wie der Knabe, und auch seine Reaktion auf dies Ereignis und sein Benehmen gegen das Kind ist dasselbe. Das klingt ja absurd genug, aber vielleicht nur darum, weil es uns so ungewohnt klingt.

Die Abwendung von der Mutter ist ein höchst bedeutsamer Schritt auf dem Entwicklungsweg des Mädchens, sie ist mehr als ein bloßer Objektwechsel. Wir haben ihren Hergang und die Häufung ihrer vorgeblichen Motivierungen bereits beschrieben, nun fügen wir hinzu, daß Hand in Hand mit ihr ein starkes Absinken der aktiven und ein Anstieg der passiven Sexualregungen zu beobachten ist. Gewiß sind die aktiven Strebungen stärker von der Versagung betroffen worden, sie haben sich als durchaus unausführbar erwiesen und werden darum auch leichter von der Libido verlassen, aber auch auf Seite der passiven Strebungen hat es an Enttäuschungen nicht gefehlt. Häufig wird mit der Abwendung von der Mutter auch die klitoridische Masturbation eingestellt, oft genug wird mit der Verdrängung der bisherigen Männlichkeit des kleinen Mädchens ein gutes Stück ihres Sexualstrebens überhaupt dauernd geschädigt. Der Übergang zum Vaterobjekt wird mit Hilfe der passiven Strebungen vollzogen, soweit diese dem Umsturz entgangen sind. Der Weg zur Entwicklung der Weiblichkeit ist nun dem Mädchen freigegeben, insoferne er nicht durch die Reste der überwundenen präödipalen Mutterbindung eingeengt ist.

Überblickt man nun das hier beschriebene Stück der weiblichen Sexualentwicklung, so kann man ein bestimmtes Urteil über das Ganze der Weiblichkeit nicht zurückdrängen. Man hat die nämlichen libidinösen Kräfte wirksam gefunden wie beim männlichen Kind, konnte sich überzeugen, daß sie eine Zeitlang hier wie dort dieselben Wege einschlagen und zu den gleichen Ergebnissen kommen.

Es sind dann biologische Faktoren, die sie [im Falle des Mädchens] von ihren anfänglichen Zielen ablenken und selbst aktive, in jedem

Sinne männliche Strebungen in die Bahnen der Weiblichkeit leiten. Da wir die Zurückführung der Sexualerregung auf die Wirkung bestimmter chemischer Stoffe nicht abweisen können, liegt zuerst die Erwartung nahe, daß uns die Biochemie eines Tages einen Stoff darstellen wird, dessen Gegenwart die männliche, und einen, der die weibliche Sexualerregung hervorruft. Aber diese Hoffnung scheint nicht weniger naiv als die andere, heute glücklich überwundene, unter dem Mikroskop die Erreger von Hysterie, Zwangsneurose, Melancholie usw. gesondert aufzufinden.

Es muß auch in der Sexualchemie etwas komplizierter zugehen. Für die Psychologie ist es aber gleichgültig, ob es einen einzigen sexuell erregenden Stoff im Körper gibt oder deren zwei oder eine Unzahl davon. Die Psychoanalyse lehrt uns, mit einer einzigen Libido auszukommen, die allerdings aktive und passive Ziele, also Befriedigungsarten, kennt. In diesem Gegensatz, vor allem in der Existenz von Libidostrebungen mit passiven Zielen, ist der Rest des Problems enthalten.

IV

Wenn man die analytische Literatur unseres Gegenstandes einsieht, überzeugt man sich, daß alles, was ich hier aufgeführt habe, dort bereits gegeben ist. Es wäre unnötig gewesen, diese Arbeit zu veröffentlichen, wenn nicht auf einem so schwer zugänglichen Gebiet jeder Bericht über eigene Erfahrungen und persönliche Auffassungen wertvoll sein könnte. Auch habe ich manches schärfer gefaßt und sorgfältiger isoliert. In einigen der anderen Abhandlungen wird die Darstellung unübersichtlich infolge der gleichzeitigen Erörterung der Probleme des Über-Ichs und des Schuldgefühls. Dem bin ich ausgewichen, ich habe bei der Beschreibung der verschiedenen Ausgänge dieser Entwicklungsphase auch nicht die Komplikationen behandelt, die sich ergeben, wenn das Kind infolge der Enttäuschung am Vater zur aufgelassenen Mutterbindung zurückkehrt oder nun im Laufe des Lebens wiederholt von einer Einstellung zur anderen herüberwechselt. Aber gerade weil meine Arbeit nur ein Beitrag ist unter anderen, darf ich mir eine eingehende Würdigung

der Literatur ersparen und kann mich darauf beschränken, bedeutsamere Übereinstimmungen mit einigen und wichtigere Abweichungen von anderen dieser Arbeiten hervorzuheben.
In die eigentlich noch unübertroffene Schilderung Abrahams der »Äußerungsformen des weiblichen Kastrationskomplexes« (Internat. Zeitschr. f. PsA., VII, 1921) möchte man gerne das Moment der anfänglich ausschließlichen Mutterbindung eingefügt wissen. Der wichtigen Arbeit von Jeanne[1] Lampl-de Groot[2] muß ich in den wesentlichen Punkten zustimmen. Hier wird die volle Identität der präödipalen Phase bei Knaben und Mädchen erkannt, die sexuelle (phallische) Aktivität des Mädchens gegen die Mutter behauptet und durch Beobachtungen erwiesen. Die Abwendung von der Mutter wird auf den Einfluß der zur Kenntnis genommenen Kastration zurückgeführt, die das Kind dazu nötigt, das Sexualobjekt und damit auch oft die Onanie aufzugeben, für die ganze Entwicklung die Formel geprägt, daß das Mädchen eine Phase des »negativen« Ödipuskomplexes durchmacht, ehe sie in den positiven eintreten kann. Eine Unzulänglichkeit dieser Arbeit finde ich darin, daß sie die Abwendung von der Mutter als bloßen Objektwechsel darstellt und nicht darauf eingeht, daß sie sich unter den deutlichsten Zeichen von Feindseligkeit vollzieht. Diese Feindseligkeit findet volle Würdigung in der letzten Arbeit von Helene Deutsch (Der feminine Masochismus und seine Beziehung zur Frigidität, Internat. Zeitschr. f. PsA., XVI, 1930), woselbst auch die phallische Aktivität des Mädchens und die Intensität seiner Mutterbindung anerkannt werden. H. Deutsch gibt auch an, daß die Wendung zum Vater auf dem Weg der (bereits bei der Mutter rege gewordenen) passiven Strebungen geschieht. In ihrem früher (1925) veröffentlichten Buch »Psychoanalyse der weiblichen Sexualfunktionen« hatte die Autorin sich von der Anwendung des Ödipusschemas auch auf die präödipale Phase noch nicht frei gemacht und darum die phallische Aktivität des Mädchens als Identifizierung mit dem Vater gedeutet.

1 Nach dem Wunsch der Autorin korrigiere ich so ihren Namen, der in der Zeitschrift als A. L. de Gr. angeführt ist.
2 Zur Entwicklungsgeschichte des Ödipuskomplexes der Frau. Internat. Zeitschr. f. PsA., XIII, 1927.

Fenichel (Zur prägenitalen Vorgeschichte des Ödipuskomplexes, Internat. Zeitschr. f. PsA., XVI, 1930) betont mit Recht die Schwierigkeit zu erkennen, was von dem in der Analyse erhobenen Material unveränderter Inhalt der präödipalen Phase und was daran regressiv (oder anders) entstellt ist. Er anerkennt die phallische Aktivität des Mädchens nach Jeanne Lampl-de Groot nicht, verwahrt sich auch gegen die von Melanie Klein (Frühstadien des Ödipuskonfliktes, Internat. Zeitschr. f. PsA., XIV, 1928 u. a. a.O.) vorgenommene »Vorverlegung« des Ödipuskomplexes, dessen Beginn sie schon in den Anfang des zweiten Lebensjahres versetzt. Diese Zeitbestimmung, die notwendigerweise auch die Auffassung aller anderen Verhältnisse der Entwicklung verändert, deckt sich in der Tat nicht mit den Ergebnissen der Analyse an Erwachsenen und ist besonders unvereinbar mit meinen Befunden von der langen Andauer der präödipalen Mutterbindung der Mädchen. Einen Weg zur Milderung dieses Widerspruches weist die Bemerkung, daß wir auf diesem Gebiet noch nicht zu unterscheiden vermögen, was durch biologische Gesetze starr festgelegt und was unter dem Einfluß akzidentellen Erlebens beweglich und veränderlich ist. Wie es von der Wirkung der Verführung längst bekannt ist, können auch andere Momente, der Zeitpunkt der Geburt von Geschwistern, der Zeitpunkt der Entdeckung des Geschlechtsunterschieds, die direkte Beobachtung des Geschlechtsverkehrs, das werbende oder abweisende Benehmen der Eltern u. a., eine Beschleunigung und Reifung der kindlichen Sexualentwicklung herbeiführen.

Bei manchen Autoren zeigt sich die Neigung, die Bedeutung der ersten ursprünglichsten Libidoregungen des Kindes zugunsten späterer Entwicklungsvorgänge herabzudrücken, so daß jenen – extrem ausgedrückt – die Rolle verbliebe, nur gewisse Richtungen anzugeben, während die [psychischen] Intensitäten, welche diese Wege einschlagen, von späteren Regressionen und Reaktionsbildungen bestritten werden. So z. B. wenn K. Horney (Flucht aus der Weiblichkeit, Internat. Zeitschr. f. PsA., XII, 1926) meint, daß der primäre Penisneid des Mädchens von uns weit überschätzt wird, während die Intensität des später entfalteten Männlichkeitsstrebens einem sekundären Penisneid zuzuschreiben ist, der zur Abwehr der weiblichen Regungen, speziell der weiblichen Bindung an den

Vater, gebraucht wird. Das entspricht nicht meinen Eindrücken. So sicher die Tatsache späterer Verstärkungen durch Regression und Reaktionsbildung ist, so schwierig es auch sein mag, die relative Abschätzung der zusammenströmenden Libidokomponenten vorzunehmen, so meine ich doch, wir sollen nicht übersehen, daß jenen ersten Libidoregungen eine Intensität eigen ist, die allen späteren überlegen bleibt, eigentlich inkommensurabel genannt werden darf. Es ist gewiß richtig, daß zwischen der Vaterbindung und dem Männlichkeitskomplex eine Gegensätzlichkeit besteht – es ist der allgemeine Gegensatz zwischen Aktivität und Passivität, Männlichkeit und Weiblichkeit –, aber es gibt uns kein Recht anzunehmen, nur das eine sei primär, das andere verdanke seine Stärke nur der Abwehr. Und wenn die Abwehr gegen die Weiblichkeit so energisch ausfällt, woher kann sie sonst ihre Kraft beziehen als aus dem Männlichkeitsstreben, das seinen ersten Ausdruck im Penisneid des Kindes gefunden hat und darum nach ihm benannt zu werden verdient?

Ein ähnlicher Einwand ergibt sich gegen die Auffassung von Jones (Die erste Entwicklung der weiblichen Sexualität, Internat. Zeitschr. f. PsA., XIV, 1928), nach der das phallische Stadium bei Mädchen eher eine sekundäre Schutzreaktion sein soll als ein wirkliches Entwicklungsstadium. Das entspricht weder den dynamischen noch den zeitlichen Verhältnissen.

ANHANG

EDITORISCH-BIBLIOGRAPHISCHE NOTIZ

Über Deckerinnerungen

Erstveröffentlichung:
1899 *Monatsschrift für Psychiatrie und Neurologie*, Bd. 6, S. 215–230.

Abdrucke in deutschen Werkausgaben:
1925 In: Sigmund Freud, *Gesammelte Schriften* (12 Bände), Internationaler Psychoanalytischer Verlag, Leipzig, Wien, Zürich 1924–34, Bd. 1, S. 465–488.
1952 In: Sigmund Freud, *Gesammelte Werke* (18 Bände und ein Nachtragsband), Imago Publishing Co., Ltd., London 1940–52, und S. Fischer Verlag, Frankfurt am Main 1968, 1987, Bd. 1, S. 531–554.

Zur sexuellen Aufklärung der Kinder

Offener Brief an Dr. M. Fürst

Erstveröffentlichung:
1907 *Soziale Medizin und Hygiene*, Bd. 2, Heft 6 (Juni), S. 360–367.

Abdrucke in deutschen Werkausgaben:
1924 In: Sigmund Freud, *Gesammelte Schriften* (12 Bände), Internationaler Psychoanalytischer Verlag, Leipzig, Wien, Zürich 1924–34, Bd. 5, S. 134–142.
1941 In: Sigmund Freud, *Gesammelte Werke* (18 Bände und ein Nachtragsband), Imago Publishing Co., Ltd., London 1940–52, und S. Fischer Verlag, Frankfurt am Main 1968, 1987, Bd. 7, S. 19–27.
1972 In: Sigmund Freud, *Studienausgabe* (10 Bände und ein Ergänzungsband), S. Fischer Verlag, Frankfurt am Main 1969–75, Bd. 5, S. 159, 161–168.

Über infantile Sexualtheorien

Erstveröffentlichung:
1908 *Sexual-Probleme*, Bd. 4, Heft 12 (Dezember), S. 763–779.

Abdrucke in deutschen Werkausgaben:

1924 In: Sigmund Freud, *Gesammelte Schriften* (12 Bände), Internationaler Psychoanalytischer Verlag, Leipzig, Wien, Zürich 1924–34, Bd. 5, S. 168–185.

1941 In: Sigmund Freud, *Gesammelte Werke* (18 Bände und ein Nachtragsband), Imago Publishing Co., Ltd., London 1940–52, und S. Fischer Verlag, Frankfurt am Main 1968, 1987, Bd. 7, S. 171–188.

1972 In: Sigmund Freud, *Studienausgabe* (10 Bände und ein Ergänzungsband), S. Fischer Verlag, Frankfurt am Main 1969–75, Bd. 5, S. 169, 171–184.

Der Familienroman der Neurotiker

Erstveröffentlichung:

1909 Ohne Titel in: Otto Rank, *Der Mythus von der Geburt des Helden. Versuch einer psychologischen Mythendeutung.* Leipzig und Wien: Franz Deuticke, S. 64–68.

Abdrucke in deutschen Werkausgaben:

1934 In: Sigmund Freud, *Gesammelte Schriften* (12 Bände), Internationaler Psychoanalytischer Verlag, Leipzig, Wien, Zürich 1924–34, Bd. 12, S. 367–371.

1941 In: Sigmund Freud, *Gesammelte Werke* (18 Bände und ein Nachtragsband), Imago Publishing Co., Ltd., London 1940–52, und S. Fischer Verlag, Frankfurt am Main 1968, 1987, Bd. 7, S. 227–231.

1972 In: Sigmund Freud, *Studienausgabe* (10 Bände und ein Ergänzungsband), S. Fischer Verlag, Frankfurt am Main 1969–75, Bd. 4, S. 221, 223–226.

Beiträge zur Psychologie des Liebeslebens
I. Über einen besonderen Typus der Objektwahl beim Manne

Erstveröffentlichung:

1910 *Jahrbuch für psychoanalytische und psychopathologische Forschungen*, Bd. 2, Heft 2, S. 389–397.

Abdrucke in deutschen Werkausgaben:

1924 In: Sigmund Freud, *Gesammelte Schriften* (12 Bände), Internationaler Psychoanalytischer Verlag, Leipzig, Wien, Zürich 1924–34, Bd. 5, S. 186–197.

1945 In: Sigmund Freud, *Gesammelte Werke* (18 Bände und ein Nachtrags-

band), Imago Publishing Co., Ltd., London 1940–52, und S. Fischer Verlag, Frankfurt am Main 1968, 1987, Bd. 8, S. 66–77.
1972 In: Sigmund Freud, *Studienausgabe* (10 Bände und ein Ergänzungsband), S. Fischer Verlag, Frankfurt am Main 1969–75, Bd. 5, S. 185, 187–195.

Beiträge zur Psychologie des Liebeslebens
II. Über die allgemeinste Erniedrigung des Liebeslebens

Erstveröffentlichung:
1912 *Jahrbuch für psychoanalytische und psychopathologische Forschungen*, Bd. 4, Heft 1, S. 40–50.

Abdrucke in deutschen Werkausgaben:
1924 In: Sigmund Freud, *Gesammelte Schriften* (12 Bände), Internationaler Psychoanalytischer Verlag, Leipzig, Wien, Zürich 1924–34, Bd. 5, S. 198–211.
1945 In: Sigmund Freud, *Gesammelte Werke* (18 Bände und ein Nachtragsband), Imago Publishing Co., Ltd., London 1940–52, und S. Fischer Verlag, Frankfurt am Main 1968, 1987, Bd. 8, S. 78–91.
1972 In: Sigmund Freud, *Studienausgabe* (10 Bände und ein Ergänzungsband), S. Fischer Verlag, Frankfurt am Main 1969–75, Bd. 5, S. 197, 199–209.

Beiträge zur Psychologie des Liebeslebens
III. Das Tabu der Virginität

Erstveröffentlichung:
1918 In: Sigmund Freud, *Sammlung kleiner Schriften zur Neurosenlehre*, 4. Folge. Leipzig: Hugo Heller, S. 229–251.

Abdrucke in deutschen Werkausgaben:
1924 In: Sigmund Freud, *Gesammelte Schriften* (12 Bände), Internationaler Psychoanalytischer Verlag, Leipzig, Wien, Zürich 1924–34, Bd. 5, S. 212–231.
1947 In: Sigmund Freud, *Gesammelte Werke* (18 Bände und ein Nachtragsband), Imago Publishing Co., Ltd., London 1940–52, und S. Fischer Verlag, Frankfurt am Main 1968, 1987, Bd. 12, S. 159–180.
1972 In: Sigmund Freud, *Studienausgabe* (10 Bände und ein Ergänzungsband), S. Fischer Verlag, Frankfurt am Main 1969–75, Bd. 5, S. 211, 213–228.

Zwei Kinderlügen

Erstveröffentlichung:
1913 *Internationale Zeitschrift für ärztliche Psychoanalyse*, Bd. 1, Heft 4, S. 359–362.

Abdrucke in deutschen Werkausgaben:
1924 In: Sigmund Freud, *Gesammelte Schriften* (12 Bände), Internationaler Psychoanalytischer Verlag, Leipzig, Wien, Zürich 1924–34, Bd. 5, S. 238–243.
1945 In: Sigmund Freud, *Gesammelte Werke* (18 Bände und ein Nachtragsband), Imago Publishing Co., Ltd., London 1940–52, und S. Fischer Verlag, Frankfurt am Main 1968, 1987, Bd. 8, S. 422–427.
1972 In: Sigmund Freud, *Studienausgabe* (10 Bände und ein Ergänzungsband), S. Fischer Verlag, Frankfurt am Main 1969–75, Bd. 5, S. 229, 231–234.

Über Triebumsetzungen, insbesondere der Analerotik

Erstveröffentlichung:
1917 *Internationale Zeitschrift für ärztliche Psychoanalyse*, Bd. 4, Heft 3, S. 125–130.

Abdrucke in deutschen Werkausgaben:
1924 In: Sigmund Freud, *Gesammelte Schriften* (12 Bände), Internationaler Psychoanalytischer Verlag, Leipzig, Wien, Zürich 1924–34, Bd. 5, S. 268–276.
1946 In: Sigmund Freud, *Gesammelte Werke* (18 Bände und ein Nachtragsband), Imago Publishing Co., Ltd., London 1940–52, und S. Fischer Verlag, Frankfurt am Main 1968, 1987, Bd. 10, S. 402–410.
1973 In: Sigmund Freud, *Studienausgabe* (10 Bände und ein Ergänzungsband), S. Fischer Verlag, Frankfurt am Main 1969–75, Bd. 7, S. 123, 125–131.

Die infantile Genitalorganisation

Eine Einschaltung in die Sexualtheorie

Erstveröffentlichung:
1923 *Internationale Zeitschrift für Psychoanalyse*, Bd. 9, Heft 2, S. 168–171.

Abdrucke in deutschen Werkausgaben:

1924 In: Sigmund Freud, *Gesammelte Schriften* (12 Bände), Internationaler Psychoanalytischer Verlag, Leipzig, Wien, Zürich 1924–34, Bd. 5, S. 232–237.

1940 In: Sigmund Freud, *Gesammelte Werke* (18 Bände und ein Nachtragsband), Imago Publishing Co., Ltd., London 1940–52, und S. Fischer Verlag, Frankfurt am Main 1968, 1987, Bd. 13, S. 293–298.

1972 In: Sigmund Freud, *Studienausgabe* (10 Bände und ein Ergänzungsband), S. Fischer Verlag, Frankfurt am Main 1969–75, Bd. 5, S. 235, 237–241.

Der Untergang des Ödipuskomplexes

Erstveröffentlichung:

1924 *Internationale Zeitschrift für Psychoanalyse*, Bd. 10, Heft 3, S. 245 bis 252.

Abdrucke in deutschen Werkausgaben:

1924 In: Sigmund Freud, *Gesammelte Schriften* (12 Bände), Internationaler Psychoanalytischer Verlag, Leipzig, Wien, Zürich 1924–34, Bd. 5, S. 423–430.

1940 In: Sigmund Freud, *Gesammelte Werke* (18 Bände und ein Nachtragsband), Imago Publishing Co., Ltd., London 1940–52, und S. Fischer Verlag, Frankfurt am Main 1968, 1987, Bd. 13, S. 395–402.

1972 In: Sigmund Freud, *Studienausgabe* (10 Bände und ein Ergänzungsband), S. Fischer Verlag, Frankfurt am Main 1969–75, Bd. 5, S. 243, 245–251.

Einige psychische Folgen des anatomischen Geschlechtsunterschieds

Erstveröffentlichung:

1925 *Internationale Zeitschrift für Psychoanalyse*, Bd. 11, Heft 4, S. 401–410.

Abdrucke in deutschen Werkausgaben:

1928 In: Sigmund Freud, *Gesammelte Schriften* (12 Bände), Internationaler Psychoanalytischer Verlag, Leipzig, Wien, Zürich 1924–34, Bd. 11, S. 8–19.

1948 In: Sigmund Freud, *Gesammelte Werke* (18 Bände und ein Nachtragsband), Imago Publishing Co., Ltd., London 1940–52, und S. Fischer Verlag, Frankfurt am Main 1968, 1987, Bd. 14, S. 19–30.

1972 In: Sigmund Freud, *Studienausgabe* (10 Bände und ein Ergänzungsband), S. Fischer Verlag, Frankfurt am Main 1969–75, Bd. 5, S. 253, 257–266.

Über libidinöse Typen

Erstveröffentlichung:
1931 *Internationale Zeitschrift für Psychoanalyse*, Bd. 17, Heft 3, S. 313–316.

Abdrucke in deutschen Werkausgaben:
1934 In: Sigmund Freud, *Gesammelte Schriften* (12 Bände), Internationaler Psychoanalytischer Verlag, Leipzig, Wien, Zürich 1924–34, Bd. 12, S. 115–119.
1948 In: Sigmund Freud, *Gesammelte Werke* (18 Bände und ein Nachtragsband), Imago Publishing Co., Ltd., London 1940–52, und S. Fischer Verlag, Frankfurt am Main 1968, 1987, Bd. 14, S. 509–513.
1972 In: Sigmund Freud, *Studienausgabe* (10 Bände und ein Ergänzungsband), S. Fischer Verlag, Frankfurt am Main 1969–75, Bd. 5, S. 267, 269–272.

Über die weibliche Sexualität

Erstveröffentlichung:
1931 *Internationale Zeitschrift für Psychoanalyse*, Bd. 17, Heft 3, S. 317–332.

Abdrucke in deutschen Werkausgaben:
1934 In: Sigmund Freud, *Gesammelte Schriften* (12 Bände), Internationaler Psychoanalytischer Verlag, Leipzig, Wien, Zürich 1924–34, Bd. 12, S. 120–140.
1948 In: Sigmund Freud, *Gesammelte Werke* (18 Bände und ein Nachtragsband), Imago Publishing Co., Ltd., London 1940–52, und S. Fischer Verlag, Frankfurt am Main 1968, 1987, Bd. 14, S. 517–537.
1972 In: Sigmund Freud, *Studienausgabe* (10 Bände und ein Ergänzungsband), S. Fischer Verlag, Frankfurt am Main 1969–75, Bd. 5, S. 273, 275–292.

Die hier abgedruckten Freud-Texte sind aus den betreffenden Bänden der *Gesammelten Werke* übernommen, wobei in Anlehnung an die *Studienausgabe* stillschweigend einige Korrekturen vorgenommen wurden. Diese beziehen sich insbesondere auf Druckfehler, bibliographische Irrtümer und Ergänzungen, Schreibweise von Namen, Richtigstellung von Zitaten sowie Modernisierung von Orthographie und Interpunktion. Redaktionelle Zusätze stehen jeweils in eckigen Klammern.

SIGMUND FREUD
WERKE IM TASCHENBUCH

Herausgegeben von Ilse Grubrich-Simitis
Redigiert von Ingeborg Meyer-Palmedo

Die Sammlung präsentiert das Lebenswerk des Begründers der Psychoanalyse breiten Leserschichten. Sie löst sukzessive die früheren Taschenbuchausgaben der Schriften Sigmund Freuds ab. Durch großzügigere Ausstattung eignet sie sich besonders zum Gebrauch in Schule und Universität. Zeitgenössische Wissenschaftler haben Begleittexte verfaßt; sie stellen Verbindungen zur neueren Forschung her, gelangen zu einer differenzierten Neubewertung des Freudschen Œuvres und beschreiben dessen Fortwirkung in einem weiten Spektrum der intellektuellen Moderne.

In systematischer Gliederung umfaßt die Sammlung:
- vier Bände mit Einführungen in die Psychoanalyse;
- vier Bände mit Monographien über seelische Schlüsselphänomene wie Traum, Fehlleistung, Witz;
- vier Bände mit Schriften über Sexualtheorie und über Metapsychologie;
- zwei Bände mit Schriften über Krankheitslehre und über Behandlungstechnik (erstmals als Taschenbuch-Einzelausgaben vorgelegt);
- fünf Bände mit Krankengeschichten;
- vier Bände mit kulturtheoretischen Schriften;
- drei Bände mit Schriften über Kunst und Künstler;
- zwei Bände mit voranalytischen Schriften (seit ihrer Erstveröffentlichung vor rund hundert Jahren erstmals wieder zugänglich gemacht).

EINFÜHRUNGEN:

Vorlesungen zur Einführung in die Psychoanalyse (Band 10432)
Biographisches Nachwort von Peter Gay

Neue Folge der Vorlesungen zur Einführung in die Psychoanalyse (Band 10433)
Biographisches Nachwort von Peter Gay

Abriß der Psychoanalyse (Band 10434)
Einführende Darstellungen
Einleitung von F.-W. Eickhoff
Abriß der Psychoanalyse
Über Psychoanalyse
Das Interesse an der Psychoanalyse
Eine Schwierigkeit der Psychoanalyse
Die Frage der Laienanalyse (inkl. Nachwort)

»Selbstdarstellung« (Band 10435)
Schriften zur Geschichte der Psychoanalyse
Herausgegeben und eingeleitet von Ilse Grubrich-Simitis
»Selbstdarstellung« (inkl. Nachschrift)
Jugendbriefe an Emil Fluß
Curriculum vitae
Bericht über meine mit Universitäts-Jubiläums-Reisestipendium unternommene Studienreise nach Paris und Berlin
Autobiographische Notiz
Zur Geschichte der psychoanalytischen Bewegung
Kurzer Abriß der Psychoanalyse
Die Widerstände gegen die Psychoanalyse

ÜBER SCHLÜSSELPHÄNOMENE – TRAUM, FEHLLEISTUNG, WITZ:

Die Traumdeutung (Band 10436)
Nachwort von Hermann Beland

Über Träume und Traumdeutungen (Band 10437)
Einleitung von Hermann Beland
Eine erfüllte Traumahnung
Über den Traum
Träume im Folklore
Ein Traum als Beweismittel
Märchenstoffe in Träumen
Traum und Telepathie
Einige Nachträge zum Ganzen der Traumdeutung
Über einen Traum des Cartesius. Brief an Maxime Leroy
Meine Berührung mit Josef Popper-Lynkeus

Zur Psychopathologie des Alltagslebens (Band 10438)
(Über Vergessen, Versprechen, Vergreifen, Aberglaube und Irrtum)
Einleitung von Martin Löw-Beer
Im Anhang: Vorwort 1954 von Alexander Mitscherlich

Der Witz und seine Beziehung zum Unbewußten / Der Humor (Band 10439)
Einleitung von Peter Gay

SEXUALTHEORIE UND METAPSYCHOLOGIE:

Drei Abhandlungen zur Sexualtheorie (Band 10440)
Einleitung von Reimut Reiche

Schriften über Liebe und Sexualität (Band 10441)
Einleitung von Reimut Reiche
Über Deckerinnerungen
Zur sexuellen Aufklärung der Kinder
Über infantile Sexualtheorien
Der Familienroman der Neurotiker
Beiträge zur Psychologie des Liebeslebens
Zwei Kinderlügen
Über Triebumsetzungen, insbesondere der Analerotik
Die infantile Genitalorganisation
Der Untergang des Ödipuskomplexes
Einige psychische Folgen des anatomischen Geschlechtsunterschieds
Über libidinöse Typen
Über die weibliche Sexualität

Das Ich und das Es (Band 10442)
Metapsychologische Schriften
Einleitung von Alex Holder
Formulierungen über die zwei Prinzipien des psychischen Geschehens
Einige Bemerkungen über den Begriff des Unbewußten in der Psychoanalyse
Zur Einführung des Narzißmus
Triebe und Triebschicksale
Die Verdrängung
Das Unbewußte
Metapsychologische Ergänzung zur Traumlehre
Trauer und Melancholie
Jenseits des Lustprinzips
Das Ich und das Es
Das ökonomische Problem des Masochismus
Notiz über den »Wunderblock«
Die Verneinung
Fetischismus
Die Ichspaltung im Abwehrvorgang

Hemmung, Symptom und Angst (Band 10443)
Einleitung von F.-W. Eickhoff

KRANKHEITSLEHRE UND BEHANDLUNGSTECHNIK:

Schriften zur Krankheitslehre der Psychoanalyse (Band 10444)
Einleitung von Clemens de Boor
Über die Berechtigung, von der Neurasthenie einen bestimmten Symptomenkomplex als »Angstneurose« abzutrennen
Zur Ätiologie der Hysterie
Die Sexualität in der Ätiologie der Neurosen
Meine Ansichten über die Rolle der Sexualität in der Ätiologie der Neurosen
Hysterische Phantasien und ihre Beziehung zur Bisexualität
Charakter und Analerotik
Allgemeines über den hysterischen Anfall
Die psychogene Sehstörung in psychoanalytischer Auffassung
Über neurotische Erkrankungstypen
Die Disposition zur Zwangsneurose
Mitteilung eines der psychoanalytischen Theorie widersprechenden Falles von Paranoia
»Ein Kind wird geschlagen« (Beitrag zur Kenntnis der Entstehung sexueller Perversionen)
Über die Psychogenese eines Falles von weiblicher Homosexualität
Über einige neurotische Mechanismen bei Eifersucht, Paranoia und Homosexualität
Neurose und Psychose
Der Realitätsverlust bei Neurose und Psychose

Zur Dynamik der Übertragung (Band 10445)
Behandlungstechnische Schriften
Einleitung von Hermann Argelander
Die Handhabung der Traumdeutung in der Psychoanalyse
Zur Dynamik der Übertragung
Ratschläge für den Arzt bei der psychoanalytischen Behandlung
Zur Einleitung der Behandlung
Erinnern, Wiederholen und Durcharbeiten
Bemerkungen über die Übertragungsliebe
Die endliche und die unendliche Analyse
Konstruktionen in der Analyse

KRANKENGESCHICHTEN:

Studien über Hysterie (zusammen mit Josef Breuer) (Band 10446)
Einleitung von Stavros Mentzos

Bruchstück einer Hysterie-Analyse (Band 10447)
Nachwort von Stavros Mentzos

Analyse der Phobie eines fünfjährigen Knaben (Band 10448)
(inkl. Nachschrift)
Einleitung von Veronica Mächtlinger
Im Anhang: Vorwort 1979 von Anna Freud

Zwei Krankengeschichten (Band 10449)
Einleitung von Carl Nedelmann
Bemerkungen über einen Fall von Zwangsneurose
Aus der Geschichte einer infantilen Neurose

Zwei Fallberichte (Band 10450)
Einleitung von Mario Erdheim
Psychoanalytische Bemerkungen über einen autobiographisch beschriebenen Fall von Paranoia (inkl. Nachtrag)
Eine Teufelsneurose im siebzehnten Jahrhundert

KULTURTHEORETISCHE SCHRIFTEN:

Totem und Tabu (Band 10451)
Einige Übereinstimmungen im Seelenleben der Wilden und der Neurotiker
Einleitung von Mario Erdheim

Massenpsychologie und Ich-Analyse / Die Zukunft einer Illusion (Band 10452)
Einleitung von Reimut Reiche

Das Unbehagen in der Kultur (Band 10453)
Und andere kulturtheoretische Schriften
Einleitung von Alfred Lorenzer und Bernard Görlich
Das Unbehagen in der Kultur
Die »kulturelle« Sexualmoral und die moderne Nervosität
Zeitgemäßes über Krieg und Tod
Warum Krieg?

Der Mann Moses und die monotheistische Religion (Band 10454)
Und andere religionspsychologische Schriften
Herausgegeben und eingeleitet von Ilse Grubrich-Simitis
Der Mann Moses und die monotheistische Religion
Zwangshandlungen und Religionsübungen
Vorrede zu ›Probleme der Religionspsychologie‹ von Theodor Reik
Zur Gewinnung des Feuers

ÜBER KUNST UND KÜNSTLER:

Der Wahn und die Träume in W. Jensens ›Gradiva‹ (Band 10455)
(inkl. Nachtrag zur zweiten Auflage)
Mit der Erzählung von Wilhelm Jensen
Herausgegeben und eingeleitet von Bernd Urban

Der Moses des Michelangelo (Band 10456)
Schriften über Kunst und Künstler
Einleitung von Peter Gay
Psychopathische Personen auf der Bühne
Der Dichter und das Phantasieren
Das Motiv der Kästchenwahl
Der Moses des Michelangelo (inkl. Nachtrag)
Vergänglichkeit
Einige Charaktertypen aus der psychoanalytischen Arbeit
Eine Kindheitserinnerung aus ›Dichtung und Wahrheit‹
Das Unheimliche
Dostojewski und die Vatertötung
Goethe-Preis

Eine Kindheitserinnerung des Leonardo da Vinci (Band 10457)
Einleitung von Janine Chasseguet-Smirgel

VORANALYTISCHE SCHRIFTEN:

Schriften über Kokain (Band 10458)
Herausgegeben von Paul Vogel
Bearbeitet und eingeleitet von Albrecht Hirschmüller
Über Koka (inkl. Nachträge)
Cocaine
Beitrag zur Kenntnis der Kokawirkung
Über die Allgemeinwirkung des Kokains
Gutachten über das Parke Kokain
Bemerkungen über Kokainsucht und Kokainfurcht

Zur Auffassung der Aphasien (Band 10459)
Eine kritische Studie
Herausgegeben von Paul Vogel
Bearbeitet von Ingeborg Meyer-Palmedo
Einleitung von Wolfgang Leuschner